D1484661

50 LANGUAGES

English (USA) — Norwegian
for beginners

IMPRINT / IMPRESSUM

Johannes Schumann:
50LANGUAGES: English (USA) - Norwegian for beginners
EAN-13 (ISBN-13): 978-1-64018-092-5

Inquiries / Anfragen:
info@50languages.com
info@goethe-verlag.com

Table of contents

People

Personer

I	jeg
I and you	jeg og du
both of us	vi to
he	han
he and she	han og hun
they both	de to
the man	mannen
the woman	kvinnen
the child	barnet
a family	en familie
my family	familien min
My family is here.	Familien min er her.
I am here.	Jeg er her.
You are here.	Du er her.
He is here and she is here.	Han er her og hun er her.
We are here.	Vi er her.
You are here.	Dere er her.
They are all here.	De er her alle sammen.

Family Members

Familie

the grandfather	bestefaren
the grandmother	bestemoren
he and she	han og hun
the father	faren
the mother	moren
he and she	han og hun
the son	sønnen
the daughter	datteren
he and she	han og hun
the brother	broren
the sister	søsteren
he and she	han og hun
the uncle	onkelen
the aunt	tanten
he and she	han og hun
We are a family.	Vi er en familie.
The family is not small.	Familien er ikke liten.
The family is big.	Familien er stor.

Getting to know others

Bli kjent

Hi!
Hello!
How are you?

Do you come from Europe?
Do you come from America?
Do you come from Asia?

In which hotel are you staying?
How long have you been here for?
How long will you be staying?

Do you like it here?
Are you here on vacation?
Please do visit me sometime!

Here is my address.
Shall we see each other tomorrow?
I am sorry, but I already have plans.

Bye!
Good bye!
See you soon!

Hei!
God dag!
Hvordan går det?

Kommer du fra Europa?
Kommer du fra Amerika?
Kommer du fra Asia?

Hvilket hotell bor du på?
Hvor lenge har du vært her?
Hvor lenge skal du være her?

Liker du deg her?
Er du på ferie her?
Du må besøke meg en gang!

Her er adressen min.
Ses vi i morgen?
Beklager, jeg har allerede planer.

Ha det! / Ha det bra! / Ha det godt!
På gjensyn!
Ha det så lenge!

At school

På skolen

Where are we?	Hvor er vi?
We are at school.	Vi er på skolen.
We are having class / a lesson.	Vi har undervisning.
Those are the school children.	Det er elevene.
That is the teacher.	Det er læreren.
That is the class.	Det er klassen.
What are we doing?	Hva gjør vi?
We are learning.	Vi lærer.
We are learning a language.	Vi lærer et språk.
I learn English.	Jeg lærer engelsk.
You learn Spanish.	Du lærer spansk.
He learns German.	Han lærer tysk.
We learn French.	Vi lærer fransk.
You all learn Italian.	Dere lærer italiensk.
They learn Russian.	De lærer russisk.
Learning languages is interesting.	Det er interessant å lære språk.
We want to understand people.	Vi ønsker å forstå folk.
We want to speak with people.	Vi ønsker å snakke med folk.

Countries and Languages

Land og språk

John is from London. London is in Great Britain. He speaks English.	John er fra London. London ligger i Storbritannia. Han snakker engelsk.
Maria is from Madrid. Madrid is in Spain. She speaks Spanish.	Maria kommer fra Madrid. Madrid ligger i Spania. Hun snakker spansk.
Peter and Martha are from Berlin. Berlin is in Germany. Do both of you speak German?	Peter og Martha kommer fra Berlin. Berlin ligger i Tyskland. Snakker dere tysk begge to?
London is a capital city. Madrid and Berlin are also capital cities. Capital cities are big and noisy.	London er en hovedstad. Madrid og Berlin er også hovedsteder. Hovedstedene er store og bråkete.
France is in Europe. Egypt is in Africa. Japan is in Asia.	Frankrike ligger i Europa. Egypt ligger i Afrika. Japan ligger i Asia.
Canada is in North America. Panama is in Central America. Brazil is in South America.	Kanada ligger i Nord-Amerika. Panama ligger i Mellom-Amerika. Brasil ligger i Sør-Amerika.

Reading and writing

Lese og skrive

I read.	Jeg leser.
I read a letter.	Jeg leser en bokstav.
I read a word.	Jeg leser et ord.
I read a sentence.	Jeg leser en setning.
I read a letter.	Jeg leser et brev.
I read a book.	Jeg leser ei bok.
I read.	Jeg leser.
You read.	Du leser.
He reads.	Han leser.
I write.	Jeg skriver.
I write a letter / character.	Jeg skriver en bokstav.
I write a word.	Jeg skriver et ord.
I write a sentence.	Jeg skriver en setning.
I write a letter.	Jeg skriver et brev.
I write a book.	Jeg skriver ei bok.
I write.	Jeg skriver.
You write.	Du skriver.
He writes.	Han skriver.

Numbers

Tall

I count:	Jeg teller:
one, two, three	en, to, tre
I count to three.	Jeg teller til tre.
I count further:	Jeg teller videre.
four, five, six,	fire, fem, seks,
seven, eight, nine	sju, åtte, ni
I count.	Jeg teller.
You count.	Du teller.
He counts.	Han teller.
One. The first.	En. Den første.
Two. The second.	To. Den andre.
Three. The third.	Tre. Den tredje.
Four. The fourth.	Fire. Den fjerde.
Five. The fifth.	Fem. Den femte.
Six. The sixth.	Seks. Den sjette.
Seven. The seventh.	Sju. Den sjuende.
Eight. The eighth.	Åtte. Den åttende.
Nine. The ninth.	Ni. Den niende.

The time

Klokkeslett

Excuse me!	Unnskyld!
What time is it, please?	Hva er klokka?
Thank you very much.	Tusen takk.
It is one o'clock.	Klokka er ett.
It is two o'clock.	Klokka er to.
It is three o'clock.	Klokka er tre.
It is four o'clock.	Klokka er fire.
It is five o'clock.	Klokka er fem.
It is six o'clock.	Klokka er seks.
It is seven o'clock.	Klokka er sju.
It is eight o'clock.	Klokka er åtte.
It is nine o'clock.	Klokka er ni.
It is ten o'clock.	Klokka er ti.
It is eleven o'clock.	Klokka er elleve.
It is twelve o'clock.	Klokka er tolv.
A minute has sixty seconds.	Et minutt har seksti sekunder.
An hour has sixty minutes.	En time har seksti minutter.
A day has twenty-four hours.	En dag har tjuefire timer.

Days of the week

Ukedager

Monday	mandag
Tuesday	tirsdag
Wednesday	onsdag
Thursday	torsdag
Friday	fredag
Saturday	lørdag
Sunday	søndag
the week	uka
from Monday to Sunday	fra mandag til søndag
The first day is Monday.	Den første dagen er mandag.
The second day is Tuesday.	Den andre dagen er tirsdag.
The third day is Wednesday.	Den tredje dagen er onsdag.
The fourth day is Thursday.	Den fjerde dagen er torsdag.
The fifth day is Friday.	Den femte dagen er fredag.
The sixth day is Saturday.	Den sjette dagen er lørdag.
The seventh day is Sunday.	Den sjuende dagen er søndag.
The week has seven days.	Uka har sju dager.
We only work for five days.	Vi jobber bare fem dager.

Yesterday –
today –
tomorrow

I går – i dag – i
morgen

Yesterday was Saturday.	I går var det lørdag.
I was at the cinema yesterday.	I går var jeg på kino.
The film was interesting.	Filmen var interessant.
Today is Sunday.	I dag er det søndag.
I'm not working today.	I dag jobber jeg ikke.
I'm staying at home.	Jeg blir hjemme.
Tomorrow is Monday.	I morgen er det mandag.
Tomorrow I will work again.	I morgen må jeg på jobb igjen.
I work at an office.	Jeg jobber på kontor.
Who is that?	Hvem er dette?
That is Peter.	Dette er Peter.
Peter is a student.	Peter er student.
Who is that?	Hvem er dette?
That is Martha.	Dette er Martha.
Martha is a secretary.	Martha er sekretær.
Peter and Martha are friends.	Peter og Martha er venner.
Peter is Martha's friend.	Peter er vennen til Martha.
Martha is Peter's friend.	Martha er venninnen til Peter.

11 [eleven]

Months

11 [elleve]

Måneder

January	januar
February	februar
March	mars
April	april
May	mai
June	juni

These are six months.
January, February, March,
April, May and June.

Det er seks måneder.
januar, februar, mars,
april, mai og juni.

July
August
September

juli
august
september

October
November
December

oktober
november
desember

These are also six months.
July, August, September,
October, November and December.

Det er også seks måneder.
juli, august, september,
oktober, november og desember.

Beverages

Drikke

I drink tea.	Jeg drikker te.
I drink coffee.	Jeg drikker kaffe.
I drink mineral water.	Jeg drikker mineralvann.
Do you drink tea with lemon?	Drikker du te med sitron?
Do you drink coffee with sugar?	Drikker du kaffe med sukker?
Do you drink water with ice?	Drikker du vann med is?
There is a party here.	Her er det fest.
People are drinking champagne.	Folket drikker musserende vin.
People are drinking wine and beer.	Folket drikker vin og øl.
Do you drink alcohol?	Drikker du alkohol?
Do you drink whisky / whiskey (am.)?	Drikker du whisky?
Do you drink Coke with rum?	Drikker du kola med rum?
I do not like champagne.	Jeg liker ikke musserende vin.
I do not like wine.	Jeg liker ikke vin.
I do not like beer.	Jeg liker ikke øl.
The baby likes milk.	Babyen liker melk.
The child likes cocoa and apple juice.	Barnet liker kakao og eplejuice.
The woman likes orange and grapefruit juice.	Kvinnen liker appelsinjuice og grapefruktjuice.

Activities

Aktiviteter

What does Martha do?	Hva gjør Martha?
She works at an office.	Hun jobber på kontoret.
She works on the computer.	Hun jobber med datamaskinen.
Where is Martha?	Hvor er Martha?
At the cinema.	På kino.
She is watching a film.	Hun ser på en film.
What does Peter do?	Hva gjør Peter?
He studies at the university.	Han studerer på universitet.
He studies languages.	Han studerer språk.
Where is Peter?	Hvor er Peter?
At the café.	På kafé.
He is drinking coffee.	Han drikker kaffe.
Where do they like to go?	Hvor liker de å gå?
To a concert.	På konsert.
They like to listen to music.	De liker å høre på musikk.
Where do they not like to go?	Hvor liker de ikke å gå?
To the disco.	På diskotek.
They do not like to dance.	De liker ikke å danse.

Colors

Farger

Snow is white.	Snøen er hvit.
The sun is yellow.	Sola er gul.
The orange is orange.	Appelsinen er oransje.
The cherry is red.	Kirsebæret er rødt.
The sky is blue.	Himmelen er blå.
The grass is green.	Gresset er grønt.
The earth is brown.	Jorden er brun.
The cloud is grey / gray (am.).	Skyen er grå.
The tyres / tires (am.) are black.	Dekkene er svarte.
What colour / color (am.) is the snow? White.	Hvilken farge har snøen? Hvit.
What colour / color (am.) is the sun? Yellow.	Hvilken farge har sola? Gul.
What colour / color (am.) is the orange? Orange.	Hvilken farge har appelsinen? Oransje.
What colour / color (am.) is the cherry? Red.	Hvilken farge har kirsebæret? Rødt.
What colour / color (am.) is the sky? Blue.	Hvilken farge har himmelen? Blå.
What colour / color (am.) is the grass? Green.	Hvilken farge har gresset? Grønt.
What colour / color (am.) is the earth? Brown.	Hvilken farge har jorden? Brun.
What colour / color (am.) is the cloud? Grey / Gray (am.).	Hvilken farge har skyen? Grå.
What colour / color (am.) are the tyres / tires (am.)? Black.	Hvilken farge har dekkene? Svart.

Fruits and food

Frukt og matvarer

I have a strawberry.	Jeg har et jordbær.
I have a kiwi and a melon.	Jeg har en kiwi og en melon.
I have an orange and a grapefruit.	Jeg har en appelsin og en grapefrukt.
I have an apple and a mango.	Jeg har et eple og en mango.
I have a banana and a pineapple.	Jeg har en banan og en ananas.
I am making a fruit salad.	Jeg lager fruktsalat.
I am eating toast.	Jeg spiser en toast.
I am eating toast with butter.	Jeg spiser en toast med smør.
I am eating toast with butter and jam.	Jeg spiser en toast med smør og syltetøy.
I am eating a sandwich.	Jeg spiser et smørbrød.
I am eating a sandwich with margarine.	Jeg spiser et smørbrød med margarin.
I am eating a sandwich with margarine and tomatoes.	Jeg spiser et smørbrød med margarin og tomat.
We need bread and rice.	Vi trenger brød og ris.
We need fish and steaks.	Vi trenger fisk og biff.
We need pizza and spaghetti.	Vi trenger pizza og spagetti.
What else do we need?	Hva mer trenger vi?
We need carrots and tomatoes for the soup.	Vi trenger gulrøtter og tomater til suppen.
Where is the supermarket?	Hvor er det en matbutikk?

Seasons and Weather

Årstider og vær

These are the seasons:
Spring, summer,
autumn / fall (am.) and winter.

The summer is warm.
The sun shines in summer.
We like to go for a walk in summer.

The winter is cold.
It snows or rains in winter.
We like to stay home in winter.

It is cold.
It is raining.
It is windy.

It is warm.
It is sunny.
It is pleasant.

What is the weather like today?
It is cold today.
It is warm today.

Dette er årstidene:
Våren, sommeren,
høsten og vinteren.

Sommeren er varm.
Om sommeren skinner sola.
Om sommeren går vi gjerne tur.

Vinteren er kald.
Om vinteren snør og regner det.
Om vinteren blir vi gjerne hjemme.

Det er kaldt.
Det regner.
Det blåser.

Det er varmt.
Det er sol.
Det er fint.

Hvordan er været i dag?
I dag er det kaldt.
I dag er det varmt.

Around the house

I huset

Our house is here.	Dette er huset vårt.
The roof is on top.	Taket er øverst.
The basement is below.	Kjelleren er nede.
There is a garden behind the house.	Bak huset er det en hage.
There is no street in front of the house.	Foran huset er det ingen gate.
There are trees next to the house.	Ved siden av huset står det trær.
My apartment is here.	Dette er leiligheten min.
The kitchen and bathroom are here.	Her er kjøkkenet og badet.
The living room and bedroom are there.	Der er stua og soverommet.
The front door is closed.	Inngangsdøren er låst.
But the windows are open.	Men vinduene er åpne.
It is hot today.	Det er varmt i dag.
We are going to the living room.	Vi går inn i stua.
There is a sofa and an armchair there.	Der er det en sofa og en lenestol.
Please, sit down!	Værsågod, sett deg!
My computer is there.	Der står datamaskinen min.
My stereo is there.	Der står stereoanlegget mitt.
The TV set is brand new.	TVen er ganske ny.

House cleaning

Husvask

Today is Saturday.
We have time today.
We are cleaning the apartment today.

I am cleaning the bathroom.
My husband is washing the car.
The children are cleaning the bicycles.

Grandma is watering the flowers.
The children are cleaning up the children's room.
My husband is tidying up his desk.

I am putting the laundry in the washing machine.
I am hanging up the laundry.
I am ironing the clothes.

The windows are dirty.
The floor is dirty.
The dishes are dirty.

Who washes the windows?
Who does the vacuuming?
Who does the dishes?

I dag er det lørdag.
I dag har vi tid.
I dag vasker vi leiligheten.

Jeg vasker badet.
Mannen min vasker bilen.
Barna vasker syklene.

Bestemor vanner blomstene.
Barna rydder på rommet sitt.
Mannen min rydder på skrivebordet sitt.

Jeg putter tøy inn i vaskemaskinen.
Jeg henger opp tøy.
Jeg stryker tøy.

Vinduene er skitne.
Gulvet er skittent.
Oppvasken er skitten.

Hvem vasker vinduene?
Hvem støvsuger?
Hvem tar oppvasken?

In the kitchen

På kjøkkenet

Do you have a new kitchen?	Har du fått nytt kjøkken?
What do you want to cook today?	Hva skal du lage i dag?
Do you cook on an electric or a gas stove?	Bruker du elektrisk komfyr eller gasskomfyr?
Shall I cut the onions?	Skal jeg skjære opp løken?
Shall I peel the potatoes?	Skal jeg skrelle potetene?
Shall I rinse the lettuce?	Skal jeg vaske salaten?
Where are the glasses?	Hvor er glassene?
Where are the dishes?	Hvor er serviset?
Where is the cutlery / silverware (am.)?	Hvor er bestikket?
Do you have a tin opener / can opener (am.)?	Har du en boksåpner?
Do you have a bottle opener?	Har du en flaskeåpner?
Do you have a corkscrew?	Har du en korketrekker?
Are you cooking the soup in this pot?	Koker du suppen i denne gryten?
Are you frying the fish in this pan?	Steker du fisken i denne pannen?
Are you grilling the vegetables on this grill?	Griller du grønnsakene på denne grillen?
I am setting the table.	Jeg dekker bordet.
Here are the knives, the forks and the spoons.	Her er knivene, gaflene og skjeene.
Here are the glasses, the plates and the napkins.	Her er glassene, tallerkene og serviettene.

Small Talk 1

Småprat 1

Make yourself comfortable!	Slå deg ned!
Please, feel right at home!	Lat som om du var hjemme!
What would you like to drink?	Hva vil du drikke?
Do you like music?	Er du glad i musikk?
I like classical music.	Jeg liker klassisk musikk.
These are my CD's.	Her er CDene mine.
Do you play a musical instrument?	Spiller du et instrument?
This is my guitar.	Her er gitaren min.
Do you like to sing?	Liker du å synge?
Do you have children?	Har du barn?
Do you have a dog?	Har du en hund?
Do you have a cat?	Har du ei katt?
These are my books.	Her er bøkene mine.
I am currently reading this book.	Jeg holder på å lese denne boken.
What do you like to read?	Hva liker du å lese?
Do you like to go to concerts?	Liker du å gå på konsert?
Do you like to go to the theatre / theater (am.)?	Liker du å gå i teateret?
Do you like to go to the opera?	Liker du å gå i operaen?

Small Talk 2

Småprat 2

Where do you come from?	Hvor kommer du fra?
From Basel.	Fra Basel.
Basel is in Switzerland.	Basel ligger i Sveits.
May I introduce Mr. Miller?	Hils på ... Müller.
He is a foreigner.	Han er utlending.
He speaks several languages.	Han snakker flere språk.
Are you here for the first time?	Er det første gang du er her?
No, I was here once last year.	Nei, jeg var her i fjor også.
Only for a week, though.	Men bare ei uke.
How do you like it here?	Hvordan liker du deg her hos oss?
A lot. The people are nice.	Veldig godt. Folk er vennlige.
And I like the scenery, too.	Og naturen liker jeg også.
What is your profession?	Hva jobber du med?
I am a translator.	Jeg er oversetter.
I translate books.	Jeg oversetter bøker.
Are you alone here?	Er du alene her?
No, my wife / my husband is also here.	Nei, kona mi / mannen min er her også.
And those are my two children.	Og der er de to barna mine.

Small Talk 3

Småprat 3

Do you smoke?	Røyker du?
I used to.	Jeg gjorde det før.
But I don't smoke anymore.	Men jeg røyker ikke nå lenger.
Does it disturb you if I smoke?	Forstyrrer det deg at jeg røyker?
No, absolutely not.	Nei da, ikke i det hele tatt.
It doesn't disturb me.	Det forstyrrer meg ikke.
Will you drink something?	Skal du drikke noe?
A brandy?	En konjakk?
No, preferably a beer.	Nei, jeg tar heller en øl.
Do you travel a lot?	Reiser du mye?
Yes, mostly on business trips.	Ja, det er mest forretningsreiser.
But now we're on holiday.	Men nå er vi på ferie.
It's so hot!	Så varmt det var!
Yes, today it's really hot.	Ja, i dag er det virkelig varmt.
Let's go to the balcony.	La oss gå ut på balkongen.
There's a party here tomorrow.	I morgen er det fest her.
Are you also coming?	Kommer dere også?
Yes, we've also been invited.	Ja, vi er invitert, vi også .

Learning foreign languages

Å lære fremmedspråk

Where did you learn Spanish?	Hvor har du lært spansk?
Can you also speak Portuguese?	Snakker du portugisisk også?
Yes, and I also speak some Italian.	Ja, og jeg kan litt italiensk også.
I think you speak very well.	Jeg synes du snakker veldig bra.
The languages are quite similar.	Språkene ligner på hverandre.
I can understand them well.	Jeg kan godt forstå dem.
But speaking and writing is difficult.	Men å snakke og skrive er vanskelig.
I still make many mistakes.	Jeg gjør mange feil.
Please correct me each time.	Du må alltid korrigere meg, takk.
Your pronunciation is very good.	Uttalen din er veldig bra.
You only have a slight accent.	Du har en liten aksent.
One can tell where you come from.	Man kan høre hvor du kommer fra.
What is your mother tongue / native language (am.)?	Hva er morsmålet ditt?
Are you taking a language course?	Går du på språkkurs?
Which textbook are you using?	Hvilken lærebok bruker du?
I don't remember the name right now.	Jeg kommer ikke på hva den heter akkurat nå.
The title is not coming to me.	Jeg husker ikke tittelen.
I've forgotten it.	Det har jeg glemt.

Appointment

Avtale

Did you miss the bus?	Rakk du ikke bussen?
I waited for you for half an hour.	Jeg har ventet på deg i en halv time.
Don't you have a mobile / cell phone (am.) with you?	Har du ikke mobilen med deg?
Be punctual next time!	Vær punktlig neste gang!
Take a taxi next time!	Ta drosje neste gang!
Take an umbrella with you next time!	Ta med deg paraply neste gang!
I have the day off tomorrow.	I morgen har jeg fri.
Shall we meet tomorrow?	Skal vi treffes i morgen?
I'm sorry, I can't make it tomorrow.	Beklager, jeg kan ikke i morgen.
Do you already have plans for this weekend?	Har du noen planer i helga?
Or do you already have an appointment?	Eller har du allerede en avtale?
I suggest that we meet on the weekend.	Jeg foreslår at vi møtes i helga.
Shall we have a picnic?	Skal vi dra på piknik?
Shall we go to the beach?	Skal vi dra til stranda?
Shall we go to the mountains?	Skal vi dra til fjells?
I will pick you up at the office.	Jeg henter deg på kontoret.
I will pick you up at home.	Jeg henter deg hjemme hos deg.
I will pick you up at the bus stop.	Jeg henter deg ved bussholdeplassen.

In the city

I byen

I would like to go to the station.	Jeg vil til togstasjonen.
I would like to go to the airport.	Jeg vil til flyplassen.
I would like to go to the city centre / center (am.).	Jeg vil til sentrum.
How do I get to the station?	Hvordan kommer jeg til togstasjonen?
How do I get to the airport?	Hvordan kommer jeg til flyplassen?
How do I get to the city centre / center (am.)?	Hvordan kommer jeg til sentrum?
I need a taxi.	Jeg trenger en drosje.
I need a city map.	Jeg trenger et (by)kart.
I need a hotel.	Jeg trenger et hotell.
I would like to rent a car.	Jeg ønsker å leie en bil.
Here is my credit card.	Her er kredittkortet mitt.
Here is my licence / license (am.).	Her er førerkortet mitt.
What is there to see in the city?	Hva er det å se i byen?
Go to the old city.	Gå på gamlebyen.
Go on a city tour.	Dra på sightseeing i byen.
Go to the harbour / harbor (am.).	Gå til havna.
Go on a harbour / harbor (am.) tour.	Dra på båtsightseeing.
Are there any other places of interest?	Hvilke severdigheter finnes det ellers?

In nature

Ute i naturen

Do you see the tower there?	Ser du tårnet der borte?
Do you see the mountain there?	Ser du fjellet der borte?
Do you see the village there?	Ser du landsbyen der borte?
Do you see the river there?	Ser du elven der borte?
Do you see the bridge there?	Ser du broen der borte?
Do you see the lake there?	Ser du vannet der borte?
I like that bird.	Jeg liker den fuglen der.
I like that tree.	Jeg liker det treet der.
I like this stone.	Jeg liker denne steinen.
I like that park.	Jeg liker den parken der.
I like that garden.	Jeg liker den hagen der.
I like this flower.	Jeg liker denne blomsten.
I find that pretty.	Jeg synes det er pent.
I find that interesting.	Jeg synes det er interessant.
I find that gorgeous.	Jeg synes det er vakkert.
I find that ugly.	Jeg synes det er stygt.
I find that boring.	Jeg synes det er kjedelig.
I find that terrible.	Jeg synes det er fryktelig.

In the hotel – Arrival

På hotell – ankomst

Do you have a vacant room?	Har dere et ledig rom?
I have booked a room.	Jeg har bestilt rom.
My name is Miller.	Jeg heter ... Müller.
I need a single room.	Jeg trenger et enkeltrom.
I need a double room.	Jeg trenger et dobbeltrom.
What does the room cost per night?	Hva koster rommet per natt?
I would like a room with a bathroom.	Jeg ønsker et rom med bad.
I would like a room with a shower.	Jeg ønsker et rom med dusj.
Can I see the room?	Kan jeg få se på rommet?
Is there a garage here?	Finnes det en garasje?
Is there a safe here?	Finnes det en safe?
Is there a fax machine here?	Finnes det en faks?
Fine, I'll take the room.	Flott, jeg tar rommet.
Here are the keys.	Her er nøklene.
Here is my luggage.	Her er bagasjen min.
What time do you serve breakfast?	Når er det frokost?
What time do you serve lunch?	Når er det middag?
What time do you serve dinner?	Når er det kveldsmat?

In the hotel – Complaints

På hotellet – klager

The shower isn't working.	Dusjen virker ikke.
There is no warm water.	Det kommer ikke noe varmt vann her.
Can you get it repaired?	Kan du fikse det?
There is no telephone in the room.	Det finnes ikke telefon på rommet.
There is no TV in the room.	Det finnes ikke TV på rommet.
The room has no balcony.	Rommet har ingen balkong.
The room is too noisy.	Rommet er for bråkete.
The room is too small.	Rommet er for lite.
The room is too dark.	Rommet er for mørkt.
The heater isn't working.	Varmen funker ikke.
The air-conditioning isn't working.	Klimaanlegget funker ikke.
The TV isn't working.	TVen er ødelagt.
I don't like that.	Jeg liker ikke det.
That's too expensive.	Det synes jeg er for dyrt.
Do you have anything cheaper?	Har du noe billigere?
Is there a youth hostel nearby?	Finnes det et ungdomsherberge i nærheten?
Is there a boarding house / a bed and breakfast nearby?	Finnes det et pensjonat i nærheten?
Is there a restaurant nearby?	Finnes det en restaurant i nærheten?

At the restaurant 1

På restaurant 1

Is this table taken?	Er dette bordet ledig?
I would like the menu, please.	Kan jeg få spisekartet / menyen?
What would you recommend?	Hva kan du anbefale?
I'd like a beer.	Jeg vil gjerne ha en øl.
I'd like a mineral water.	Jeg vil gjerne ha et mineralvann.
I'd like an orange juice.	Jeg vil gjerne ha en appelsinjuice.
I'd like a coffee.	Jeg vil gjerne ha en kaffe.
I'd like a coffee with milk.	Jeg vil gjerne ha en kaffe med melk.
With sugar, please.	Med sukker, takk.
I'd like a tea.	Jeg vil gjerne ha en te.
I'd like a tea with lemon.	Jeg vil gjerne ha en te med sitron.
I'd like a tea with milk.	Jeg vil gjerne ha en te med melk.
Do you have cigarettes?	Har du sigaretter?
Do you have an ashtray?	Har du et askebeger?
Do you have a light?	Har du fyr?
I'm missing a fork.	Jeg mangler en gaffel.
I'm missing a knife.	Jeg mangler en kniv.
I'm missing a spoon.	Jeg mangler en skje.

At the restaurant 2

På restaurant 2

An apple juice, please.	En eplejuice, takk.
A lemonade, please.	En brus, takk.
A tomato juice, please.	En tomatjuice, takk.
I'd like a glass of red wine.	Jeg vil gjerne ha et glass rødvin.
I'd like a glass of white wine.	Jeg vil gjerne ha et glass hvitvin.
I'd like a bottle of champagne.	Jeg vil gjerne ha en flaske musserende.
Do you like fish?	Liker du fisk?
Do you like beef?	Liker du oksekjøtt?
Do you like pork?	Liker du svin?
I'd like something without meat.	Jeg vil gjerne ha noe uten kjøtt.
I'd like some mixed vegetables.	Jeg vil gjerne ha en grønnsaktallerken.
I'd like something that won't take much time.	Jeg vil gjerne ha noe som ikke tar lang tid.
Would you like that with rice?	Vil du ha ris til?
Would you like that with pasta?	Vil du ha pasta til?
Would you like that with potatoes?	Vil du ha poteter til?
That doesn't taste good.	Det smaker ikke godt.
The food is cold.	Maten er kald.
I didn't order this.	Det var ikke det jeg bestilte.

At the restaurant 3

På restaurant 3

I would like a starter.	Jeg vil gjerne ha en forrett.
I would like a salad.	Jeg vil gjerne ha en salat.
I would like a soup.	Jeg vil gjerne ha en suppe.
I would like a dessert.	Jeg vil gjerne ha dessert.
I would like an ice cream with whipped cream.	Jeg vil gjerne ha is med kremfløte.
I would like some fruit or cheese.	Jeg vil gjerne ha frukt eller ost.
We would like to have breakfast.	Vi vil gjerne spise frokost.
We would like to have lunch.	Vi vil gjerne spise middag.
We would like to have dinner.	Vi vil gjerne spise kveldsmat.
What would you like for breakfast?	Hva ønsker du å ha til frokost?
Rolls with jam and honey?	Rundstykker med syltetøy og honning?
Toast with sausage and cheese?	Toast med pølse og ost?
A boiled egg?	Et kokt egg?
A fried egg?	Et speilegg?
An omelette?	En omelett?
Another yoghurt, please.	Kan jeg få en jogurt?
Some salt and pepper also, please.	Kan jeg få salt og pepper?
Another glass of water, please.	Kan jeg få et glass vann?

At the restaurant 4

På restaurant 4

I'd like chips / French fries (am.) with ketchup.	En porsjon pommes frites med ketchup.
And two with mayonnaise.	Og to med majones.
And three sausages with mustard.	Og tre grillpølser med sennep.
What vegetables do you have?	Hva slags grønnsaker har dere?
Do you have beans?	Har dere bønner?
Do you have cauliflower?	Har dere blomkål?
I like to eat (sweet) corn.	Jeg liker mais.
I like to eat cucumber.	Jeg liker agurk.
I like to eat tomatoes.	Jeg liker tomater.
Do you also like to eat leek?	Liker du også purreløk?
Do you also like to eat sauerkraut?	Liker du også surkål?
Do you also like to eat lentils?	Liker du også linser?
Do you also like to eat carrots?	Spiser du gjerne gulrøtter?
Do you also like to eat broccoli?	Spiser du gjerne brokkoli?
Do you also like to eat peppers?	Spiser du gjerne paprika?
I don't like onions.	Jeg liker ikke løk.
I don't like olives.	Jeg liker ikke oliven.
I don't like mushrooms.	Jeg liker ikke sopp.

At the train station

På togstasjonen

When is the next train to Berlin?	Når går neste tog til Berlin?
When is the next train to Paris?	Når går neste tog til Paris?
When is the next train to London?	Når går neste tog til London?
When does the train for Warsaw leave?	Når kjører toget til Warszawa?
When does the train for Stockholm leave?	Når kjører toget til Stockholm?
When does the train for Budapest leave?	Når kjører toget til Budapest?
I'd like a ticket to Madrid.	En billett til Madrid.
I'd like a ticket to Prague.	En billett til Praha.
I'd like a ticket to Bern.	En billett til Bern.
When does the train arrive in Vienna?	Når ankommer toget i Wien?
When does the train arrive in Moscow?	Når ankommer toget i Moskva?
When does the train arrive in Amsterdam?	Når ankommer toget i Amsterdam?
Do I have to change trains?	Må jeg bytte tog?
From which platform does the train leave?	Hvilket spor går toget fra?
Does the train have sleepers?	Finnes det sovekupé på toget?
I'd like a one-way ticket to Brussels.	Jeg vil kjøpe tur til Brüssel.
I'd like a return ticket to Copenhagen.	Jeg vil kjøpe retur til København.
What does a berth in the sleeper cost?	Hva koster en plass i sovekupéen?

On the train

På toget

Is that the train to Berlin?	Er dette toget til Berlin?
When does the train leave?	Når/Hvilken tid kjører toget?
When does the train arrive in Berlin?	Når/Hvilken tid ankommer toget i Berlin?
Excuse me, may I pass?	Unnskyld, kan jeg få komme meg forbi?
I think this is my seat.	Jeg tror dette er min plass.
I think you're sitting in my seat.	Jeg tror du sitter på plassen min.
Where is the sleeper?	Hvor er sovekupéen?
The sleeper is at the end of the train.	Sovekupéen er bakerst i toget.
And where is the dining car? – At the front.	Og hvor er spisevognen? – Helt framme i toget.
Can I sleep below?	Kan jeg få sove nede?
Can I sleep in the middle?	Kan jeg få sove i midten?
Can I sleep at the top?	Kan jeg få sove øverst?
When will we get to the border?	Når er vi fremme ved grensen?
How long does the journey to Berlin take?	Hvor lenge tar turen til Berlin?
Is the train delayed?	Er toget forsinket?
Do you have something to read?	Har du noe å lese?
Can one get something to eat and to drink here?	Går det an å få noe mat og drikke her?
Could you please wake me up at 7 o'clock?	Kan du vennligst vekke meg klokka sju?

At the airport

På flyplassen

I'd like to book a flight to Athens.
Is it a direct flight?
A window seat, non-smoking, please.

Jeg vil bestille en flytur til Athen.
Er det direktefly?
Jeg ønsker en vindusplass, ikke-røyker, takk.

I would like to confirm my reservation.
I would like to cancel my reservation.
I would like to change my reservation.

Jeg ønsker å bekrefte bestillingen min.
Jeg ønsker å kansellere bestillingen min.
Jeg ønsker å endre bestillingen min.

When is the next flight to Rome?
Are there two seats available?
No, we have only one seat available.

Når går neste fly til Roma?
Har dere to ledige plasser?
Nei, vi har bare en ledig plass.

When do we land?
When will we be there?
When does a bus go to the city centre / center (am.)?

Når lander vi?
Når er vi fremme?
Når går det buss til sentrum?

Is that your suitcase?
Is that your bag?
Is that your luggage?

Er dette kofferten din?
Er dette vesken din?
Er dette bagasjen din?

How much luggage can I take?
Twenty kilos.
What? Only twenty kilos?

Hvor mye bagasje kan jeg ta med?
Tjue kilo.
Hva? Bare tjue kilo?

Public transportation

Kollektivtrafikk

Where is the bus stop?	Hvor er bussholdeplassen?
Which bus goes to the city centre / center (am.)?	Hvilken buss går til sentrum?
Which bus do I have to take?	Hvilken linje må jeg ta?
Do I have to change?	Må jeg bytte buss?
Where do I have to change?	Hvor må jeg bytte?
How much does a ticket cost?	Hva koster billetten?
How many stops are there before downtown / the city centre?	Hvor mange stopp er det til sentrum?
You have to get off here.	Du må gå av her.
You have to get off at the back.	Du må bytte buss her.
The next train is in 5 minutes.	Neste T-bane kommer om fem minutter.
The next tram is in 10 minutes.	Neste trikk kommer om ti minutter.
The next bus is in 15 minutes.	Neste buss kommer om femten minutter.
When is the last train?	Når går den siste T-banen?
When is the last tram?	Når går den siste trikken?
When is the last bus?	Når går den siste bussen?
Do you have a ticket?	Har du billett?
A ticket? – No, I don't have one.	Billett? – Nei, det har jeg ikke.
Then you have to pay a fine.	Da må du betale bot.

En route

På vei

He drives a motorbike.	Han kjører motorsykkel.
He rides a bicycle.	Han sykler.
He walks.	Han går til fots.
He goes by ship.	Han kjører med skipet.
He goes by boat.	Han kjører med båten.
He swims.	Han svømmer.
Is it dangerous here?	Er det farlig her?
Is it dangerous to hitchhike alone?	Er det farlig å haike alene?
Is it dangerous to go for a walk at night?	Er et farlig å gå tur om natten?
We got lost.	Vi har kjørt oss vill.
We're on the wrong road.	Vi er på feil vei.
We must turn around.	Vi må snu.
Where can one park here?	Hvor kan man parkere her?
Is there a parking lot here?	Finnes det en parkeringsplass her?
How long can one park here?	Hvor lenge kan man parkere her?
Do you ski?	Går du på ski?
Do you take the ski lift to the top?	Kjører du opp med skiheisen?
Can one rent skis here?	Går det an å leie ski her?

In the taxi

I drosjen

Please call a taxi.	Kan du vennligst bestille en drosje?
What does it cost to go to the station?	Hva koster det til togstasjonen?
What does it cost to go to the airport?	Hva koster det til flyplassen?
Please go straight ahead.	Vennligst kjør rett fram.
Please turn right here.	Vennligst kjør til høyre her.
Please turn left at the corner.	Vennligst kjør til venstre der ved hjørnet.
I'm in a hurry.	Jeg har det travelt.
I have time.	Jeg har god tid.
Please drive slowly.	Vennligst kjør litt saktere.
Please stop here.	Kan du stoppe her?
Please wait a moment.	Vennligst vent et øyeblikk.
I'll be back immediately.	Jeg er straks tilbake.
Please give me a receipt.	Kan jeg få kvittering?
I have no change.	Jeg har ingen småpenger.
That is okay, please keep the change.	Værsågod, behold resten.
Drive me to this address.	Kjør meg til denne adressen.
Drive me to my hotel.	Kjør meg til hotellet.
Drive me to the beach.	Kjør meg til stranda.

Car breakdown

Bilulykke

Where is the next gas station?	Hvor er nærmeste bensinstasjon?
I have a flat tyre / tire (am.).	Jeg har punktert dekk.
Can you change the tyre / tire (am.)?	Kan du skifte dekket?
I need a few litres / liters (am.) of diesel.	Jeg trenger et par liter diesel.
I have no more petrol / gas (am.).	Jeg er tom for bensin.
Do you have a petrol can / jerry can / gas can (am.)?	Har du en reservekanne med bensin?
Where can I make a call?	Hvor kan jeg telefonere?
I need a towing service.	Jeg trenger en borttauingsbil.
I'm looking for a garage.	Jeg leter etter et bilverksted.
An accident has occurred.	Det har skjedd en ulykke.
Where is the nearest telephone?	Hvor er nærmeste telefon?
Do you have a mobile / cell phone (am.) with you?	Har du mobil med deg?
We need help.	Vi trenger hjelp.
Call a doctor!	Få tak i en lege!
Call the police!	Ring politiet.
Your papers, please.	Kan jeg få se papirene dine?
Your licence / license (am.), please.	Kan jeg få se førerkortet?
Your registration, please.	Kan jeg få se vognkortet?

Asking for directions

Spørre etter veien

Excuse me!	Unnskyld (meg)!
Can you help me?	Kan du hjelpe meg?
Is there a good restaurant around here?	Hvor finner jeg en god restaurant her?
Take a left at the corner.	Gå til venstre ved hjørnet.
Then go straight for a while.	Gå så et stykke rett fram.
Then go right for a hundred metres / meters (am.).	Gå så hundre meter til høyre.
You can also take the bus.	Du kan også ta bussen.
You can also take the tram.	Du kan også ta trikken.
You can also follow me with your car.	Du kan bare kjøre etter meg.
How do I get to the football / soccer (am.) stadium?	Hvordan kommer jeg til fotballstadionet?
Cross the bridge!	Gå over broen.
Go through the tunnel!	Kjør gjennom tunnelen.
Drive until you reach the third traffic light.	Kjør til du kommer til det tredje lyskrysset.
Then turn into the first street on your right.	Ta så første veien til høyre.
Then drive straight through the next intersection.	Kjør deretter rett fram ved det neste krysset.
Excuse me, how do I get to the airport?	Unnskyld, hvordan kommer jeg til flyplassen?
It is best if you take the underground / subway (am.).	Det er best du tar T-banen.
Simply get out at the last stop.	Bare kjør til siste stopp.

Where is ... ?

Orientering

Where is the tourist information office?	Hvor er turistinformasjonen?
Do you have a city map for me?	Har du et (by)kart til meg?
Can one reserve a room here?	Kan jeg bestille et hotellrom her?
Where is the old city?	Hvor er gamlebyen?
Where is the cathedral?	Hvor er domkirken?
Where is the museum?	Hvor er museet?
Where can one buy stamps?	Hvor kan jeg kjøpe frimerker?
Where can one buy flowers?	Hvor kan jeg kjøpe blomster?
Where can one buy tickets?	Hvor kan jeg kjøpe billetter?
Where is the harbour / harbor (am.)?	Hvor er havna?
Where is the market?	Hvor er torget?
Where is the castle?	Hvor er slottet?
When does the tour begin?	Når begynner omvisningen?
When does the tour end?	Når slutter omvisningen?
How long is the tour?	Hvor lenge varer omvisningen?
I would like a guide who speaks German.	Jeg ønsker en guide som snakker tysk.
I would like a guide who speaks Italian.	Jeg ønsker en guide som snakker italiensk.
I would like a guide who speaks French.	Jeg ønsker en guide som snakker fransk.

City tour

Sightseeing i byen

Is the market open on Sundays?	Er torget åpent på søndager?
Is the fair open on Mondays?	Er messen åpen på mandager?
Is the exhibition open on Tuesdays?	Er utstillingen åpen på tirsdager?
Is the zoo open on Wednesdays?	Er dyreparken åpen på onsdager?
Is the museum open on Thursdays?	Er museet åpent på torsdager?
Is the gallery open on Fridays?	Er galleriet åpent på fredager?
Can one take photographs?	Er det lov å ta bilder?
Does one have to pay an entrance fee?	Må man betale inngangspenger?
How much is the entrance fee?	Hva koster inngangen?
Is there a discount for groups?	Finnes det grupperabatt?
Is there a discount for children?	Er det rabatt for barn?
Is there a discount for students?	Er det studentrabatt?
What building is that?	Hva slags bygg er det?
How old is the building?	Hvor gammel er bygningen?
Who built the building?	Hvem har bygd det?
I'm interested in architecture.	Jeg er interessert i arkitektur.
I'm interested in art.	Jeg er interessert i kunst.
I'm interested in paintings.	Jeg er interessert i malerier.

At the zoo

I dyreparken

The zoo is there.	Der er dyreparken.
The giraffes are there.	Der er sjiraffene.
Where are the bears?	Hvor er bjørnene?
Where are the elephants?	Hvor er elefantene?
Where are the snakes?	Hvor er slangene?
Where are the lions?	Hvor er løvene?
I have a camera.	Jeg har et fotoapparat.
I also have a video camera.	Jeg har et filmkamera også.
Where can I find a battery?	Hvor er et batteri?
Where are the penguins?	Hvor er pingvinene?
Where are the kangaroos?	Hvor er kenguruene?
Where are the rhinos?	Hvor er neshornene?
Where is the toilet / restroom (am.)?	Hvor er toilettet?
There is a café over there.	Der er det en kafé.
There is a restaurant over there.	Der er det en restaurant.
Where are the camels?	Hvor er kamelene?
Where are the gorillas and the zebras?	Hvor er gorillaene og sebraene?
Where are the tigers and the crocodiles?	Hvor er tigrene og krokodillene?

Going out in the evening

Gå ut på kvelden

Is there a disco here?	Finnes det diskotek her?
Is there a nightclub here?	Finnes det nattklubb her?
Is there a pub here?	Finnes det pub her?
What's playing at the theatre / theater (am.) this evening?	Hva skjer på teateret i kveld?
What's playing at the cinema / movies (am.) this evening?	Hva er det på kino i kveld?
What's on TV this evening?	Hva er det på TV i kveld?
Are tickets for the theatre / theater (am.) still available?	Er det billetter igjen til teateret?
Are tickets for the cinema / movies (am.) still available?	Er det billetter igjen til kinoen?
Are tickets for the football / soccer am. game still available?	Er det billetter igjen til fotballkampen?
I want to sit in the back.	Jeg vil sitte helt bakerst.
I want to sit somewhere in the middle.	Jeg vil sitte en eller annen plass i midten.
I want to sit at the front.	Jeg vil sitte helt framme.
Could you recommend something?	Kan du anbefale noe?
When does the show begin?	Når begynner forestillingen?
Can you get me a ticket?	Kan du skaffe meg en billett?
Is there a golf course nearby?	Finnes det en golfbane her i nærheten?
Is there a tennis court nearby?	Finnes det en tennisbane her i nærheten?
Is there an indoor swimming pool nearby?	Finnes det en svømmehall her i nærheten?

At the cinema

På kino

We want to go to the cinema.	Vi skal på kino.
A good film is playing today.	I dag går det en god film.
The film is brand new.	Filmen er helt ny.
Where is the cash register?	Hvor er kassen?
Are seats still available?	Finnes det ledige plasser?
How much are the admission tickets?	Hva koster billetten?
When does the show begin?	Når begynner forestillingen?
How long is the film?	Hvor lenge varer filmen?
Can one reserve tickets?	Kan vi reservere billetter?
I want to sit at the back.	Jeg vil sitte bak.
I want to sit at the front.	Jeg vil sitte framme.
I want to sit in the middle.	Jeg vil sitte i midten.
The film was exciting.	Filmen var spennende.
The film was not boring.	Filmen var ikke kjedelig.
But the book on which the film was based was better.	Men boka til filmen var bedre.
How was the music?	Hvordan var musikken?
How were the actors?	Hvordan var skuespillerne?
Were there English subtitles?	Var det engelsk tekst?

In the
discotheque

På diskotek

Is this seat taken?	Er det ledig her?
May I sit with you?	Kan jeg få sette meg?
Sure.	Gjerne det.
How do you like the music?	Hva synes du om musikken?
A little too loud.	Litt for høy.
But the band plays very well.	Men bandet spiller ganske bra.
Do you come here often?	Er du her ofte eller?
No, this is the first time.	Nei, det er første gangen.
I've never been here before.	Jeg har aldri vært her.
Would you like to dance?	Danser du?
Maybe later.	Kanskje senere.
I can't dance very well.	Jeg er ikke så flink til å danse.
It's very easy.	Det er veldig lett.
I'll show you.	Jeg skal vise deg.
No, maybe some other time.	Nei, en annen gang.
Are you waiting for someone?	Venter du på noen?
Yes, for my boyfriend.	Ja, på vennen min.
There he is!	Der kommer han jo!

Preparing a trip

Reiseforberedels er

You have to pack our suitcase!	Du må pakke kofferten vår.
Don't forget anything!	Du må ikke glemme noe.
You need a big suitcase!	Du trenger en stor koffert.

Don't forget your passport! — Ikke glem reisepasset.
Don't forget your ticket! — Ikke glem flybillettene.
Don't forget your traveller's cheques / traveler's checks (am.)! — Ikke glem reisesjekkene.

Take some suntan lotion with you. — Ta med deg solkrem.
Take the sun-glasses with you. — Ta med deg solbrillene.
Take the sun hat with you. — Ta med deg solhatten.

Do you want to take a road map? — Vil du ta med deg bykart?
Do you want to take a travel guide? — Vil du ta med deg reiseguide?
Do you want to take an umbrella? — Vil du ta med deg paraply?

Remember to take pants, shirts and socks. — Husk buksene, skjortene og sokkene.
Remember to take ties, belts and sports jackets. — Husk slipsene, beltene og dressjakkene.
Remember to take pyjamas, nightgowns and t-shirts. — Husk pyjamaene, nattkjolene og t-skjortene.

You need shoes, sandals and boots. — Du trenger sko, sandaler og støvler.
You need handkerchiefs, soap and a nail clipper. — Du trenger lommetørkler, såpe og neglesaks.
You need a comb, a toothbrush and toothpaste. — Du trenger en kam, en tannbørste og tannkrem.

Vacation activities

Ferieaktiviteter

Is the beach clean?	Er stranda ren?
Can one swim there?	Går det an å bade der?
Isn't it dangerous to swim there?	Er det ikke farlig å bade der?
Can one rent a sun umbrella / parasol here?	Kan man leie en parasol her?
Can one rent a deck chair here?	Kan man leie en liggestol her?
Can one rent a boat here?	Kan man leie en båt her?
I would like to surf.	Jeg vil gjerne surfe.
I would like to dive.	Jeg vil gjerne dykke.
I would like to water ski.	Jeg vil gjerne stå på vannski.
Can one rent a surfboard?	Går det an å leie surfebrett?
Can one rent diving equipment?	Går det an å leie dykkerutstyr?
Can one rent water skis?	Går det an å leie vannskier?
I'm only a beginner.	Jeg er nybegynner.
I'm moderately good.	Jeg er middels flink.
I'm pretty good at it.	Jeg har peiling på dette.
Where is the ski lift?	Hvor er skiheisen?
Do you have skis?	Har du med deg skier?
Do you have ski boots?	Har du med deg skistøvler?

Sports

Sport / idrett

Do you exercise?	Driver du med sport?
Yes, I need some exercise.	Ja, jeg må bevege meg.
I am a member of a sports club.	Jeg går i en sportsklubb.
We play football / soccer (am.).	Vi spiller fotball.
We swim sometimes.	Av og til svømmer vi.
Or we cycle.	Eller vi sykler.
There is a football / soccer (am.) stadium in our city.	I byen vår finnes det en fotballstadion.
There is also a swimming pool with a sauna.	Det finnes også en svømmehall med badstue.
And there is a golf course.	Og det finnes en golfbane.
What is on TV?	Hva er det på TV?
There is a football / soccer (am.) match on now.	Det er fotballkamp akkurat nå.
The German team is playing against the English one.	Det tyske laget spiller mot det engelske.
Who is winning?	Hvem vinner?
I have no idea.	Jeg har ikke peiling.
It is currently a tie.	For øyeblikket er det uavgjort.
The referee is from Belgium.	Dommeren kommer fra Belgia.
Now there is a penalty.	Nå er det elleve-meter.
Goal! One – zero!	Mål! Ett mot null!

In the swimming pool

I svømmehallen

It is hot today.	I dag er det varmt.
Shall we go to the swimming pool?	Skal vi gå til svømmehallen?
Do you feel like swimming?	Skal vi dra og svømme?
Do you have a towel?	Har du et håndkle?
Do you have swimming trunks?	Har du en badebukse?
Do you have a bathing suit?	Har du en badedrakt?
Can you swim?	Kan du svømme?
Can you dive?	Kan du dykke?
Can you jump in the water?	Kan du hoppe i vannet?
Where is the shower?	Hvor er dusjen?
Where is the changing room?	Hvor er garderoben?
Where are the swimming goggles?	Hvor er svømmebrillene?
Is the water deep?	Er vannet dypt?
Is the water clean?	Er vannet rent?
Is the water warm?	Er vannet varmt?
I am freezing.	Jeg fryser.
The water is too cold.	Vannet er for kaldt.
I am getting out of the water now.	Jeg skal opp av vannet nå.

Running errands

Gjøre ærender

I want to go to the library.	Jeg skal på biblioteket.
I want to go to the bookstore.	Jeg skal på bokhandelen.
I want to go to the newspaper stand.	Jeg skal gå til kiosken.
I want to borrow a book.	Jeg skal låne ei bok.
I want to buy a book.	Jeg skal kjøpe ei bok.
I want to buy a newspaper.	Jeg skal kjøpe ei avis.
I want to go to the library to borrow a book.	Jeg skal på biblioteket for å låne ei bok.
I want to go to the bookstore to buy a book.	Jeg skal på bokhandelen for å kjøpe ei bok.
I want to go to the kiosk / newspaper stand to buy a newspaper.	Jeg skal til kiosken for å kjøpe ei avis.
I want to go to the optician.	Jeg skal til optikeren.
I want to go to the supermarket.	Jeg skal gå til supermarkedet.
I want to go to the bakery.	Jeg skal til bakeren.
I want to buy some glasses.	Jeg skal kjøpe briller.
I want to buy fruit and vegetables.	Jeg skal kjøpe frukt og grønnsaker.
I want to buy rolls and bread.	Jeg skal kjøpe rundstykker og brød.
I want to go to the optician to buy glasses.	Jeg skal til optikeren for å kjøpe briller.
I want to go to the supermarket to buy fruit and vegetables.	Jeg skal til supermarkedet for å kjøpe frukt og grønnsaker.
I want to go to the baker to buy rolls and bread.	Jeg skal til bakeren for å kjøpe rundstykker og brød.

In the department store

I butikken

Shall we go to the department store?	Skal vi gå til butikken?
I have to go shopping.	Jeg må kjøpe noen ting.
I want to do a lot of shopping.	Jeg vil handle mye.
Where are the office supplies?	Hvor er kontorartiklene?
I need envelopes and stationery.	Jeg trenger konvolutter og brevpapir.
I need pens and markers.	Jeg trenger kulepenner og fargestifter.
Where is the furniture?	Hvor er møblene?
I need a cupboard and a chest of drawers.	Jeg trenger et skap og en kommode.
I need a desk and a bookshelf.	Jeg trenger et skrivebord og en hylle.
Where are the toys?	Hvor er leketøyet?
I need a doll and a teddy bear.	Jeg trenger ei dukke og en bamse.
I need a football and a chess board.	Jeg trenger en fotball og et sjakkspill.
Where are the tools?	Hvor er verktøyet?
I need a hammer and a pair of pliers.	Jeg trenger en hammer og ei tang.
I need a drill and a screwdriver.	Jeg trenger et bor og en skrutrekker.
Where is the jewellery / jewelry (am.) department?	Hvor er smykkene?
I need a chain and a bracelet.	Jeg trenger en halskjede og et armbånd.
I need a ring and earrings.	Jeg trenger en ring og øredobber.

Shops

Butikker

We're looking for a sports shop.	Vi leter etter en sportsforretning.
We're looking for a butcher shop.	Vi leter etter en kjøttforretning.
We're looking for a pharmacy / drugstore (am.).	Vi leter etter et apotek.
We want to buy a football.	Vi skal nemlig kjøpe en fotball.
We want to buy salami.	Vi skal nemlig kjøpe salami.
We want to buy medicine.	Vi skal nemlig kjøpe medikamenter.
We're looking for a sports shop to buy a football.	Vi leter etter en sportsforretning for å kjøpe en fotball.
We're looking for a butcher shop to buy salami.	Vi leter etter en kjøttforretning for å kjøpe salami.
We're looking for a drugstore to buy medicine.	Vi leter etter et apotek for å kjøpe medikamenter.
I'm looking for a jeweller / jeweler (am.).	Jeg leter etter en gullsmed.
I'm looking for a photo equipment store.	Jeg leter etter en fotoforretning.
I'm looking for a confectionery.	Jeg leter etter et konditori.
I actually plan to buy a ring.	Jeg har nemlig tenkt å kjøpe en ring.
I actually plan to buy a roll of film.	Jeg har nemlig tenkt å kjøpe en film.
I actually plan to buy a cake.	Jeg har nemlig tenkt å kjøpe en bløtkake.
I'm looking for a jeweler to buy a ring.	Jeg leter etter en gullsmed for å kjøpe en ring.
I'm looking for a photo shop to buy a roll of film.	Jeg leter etter en fotoforretning for å kjøpe en film.
I'm looking for a confectionery to buy a cake.	Jeg leter etter et konditori for å kjøpe en bløtkake.

Shopping

Handle

I want to buy a present.	Jeg vil kjøpe en preseng.
But nothing too expensive.	Men ikke noe altfor dyrt.
Maybe a handbag?	Kanskje en veske?
Which color would you like?	Hvilken farge ønsker du?
Black, brown or white?	Svart, brun eller hvit?
A large one or a small one?	Stor eller liten?
May I see this one, please?	Kan jeg få se på denne?
Is it made of leather?	Er det skinn?
Or is it made of plastic?	Eller er det plast / syntetisk?
Of leather, of course.	Skinn, selvfølgelig.
This is very good quality.	Det er meget god kvalitet.
And the bag is really very reasonable.	Og denne vesken er virkelig rimelig.
I like it.	Jeg liker den.
I'll take it.	Jeg tar den.
Can I exchange it if needed?	Kan jeg muligens bytte den?
Of course.	Selvfølgelig.
We'll gift wrap it.	Vi kan pakke den inn som preseng.
The cashier is over there.	Der borte er kassen.

Working

Jobbe

What do you do for a living?
My husband is a doctor.
I work as a nurse part-time.

We will soon receive our pension.
But taxes are high.
And health insurance is expensive.

What would you like to become some day?
I would like to become an engineer.
I want to go to college.

I am an intern.
I do not earn much.
I am doing an internship abroad.

That is my boss.
I have nice colleagues.
We always go to the cafeteria at noon.

I am looking for a job.
I have already been unemployed for a year.
There are too many unemployed people in this country.

Hva jobber dere med?
Mannen min jobber som lege.
Jeg jobber deltid som sykepleier.

Snart blir vi pensjonert.
Men skattene er høye.
Og helseforsikringen er dyr.

Hva har du lyst til å bli?
Jeg vil bli ingeniør.
Jeg vil studere ved universitetet.

Jeg er praktikant.
Jeg tjener ikke mye.
Jeg tar praksis i utlandet.

Det er sjefen min.
Jeg har hyggelige kollegaer.
Vi spiser lunsj i kantina.

Jeg søker jobb.
Jeg har vært arbeidsledig i ett år.
Her i landet er det for mange arbeidsledige.

Feelings

Følelser

to feel like / want to	ha lyst
We feel like. / We want to.	Vi har lyst.
We don't feel like. / We do't want to.	Vi har ikke lyst.
to be afraid	være redd
I'm afraid.	Jeg er redd.
I am not afraid.	Jeg er ikke redd.
to have time	ha tid
He has time.	Han har tid.
He has no time.	Han har ikke tid.
to be bored	kjede seg
She is bored.	Hun kjeder seg.
She is not bored.	Hun kjeder seg ikke.
to be hungry	være sulten
Are you hungry?	Er dere sultne?
Aren't you hungry?	Er dere ikke sultne?
to be thirsty	være tørst
They are thirsty.	De er tørste.
They are not thirsty.	De er ikke tørste.

At the doctor

Hos legen

I have a doctor's appointment. | Jeg har time hos legen.
I have the appointment at ten o'clock. | Jeg har time klokka ti.
What is your name? | Hva er navnet ditt?

Please take a seat in the waiting room. | Vennligst sett deg på venterommet.
The doctor is on his way. | Legen kommer snart.
What insurance company do you belong to? | Hvor er du forsikret?

What can I do for you? | Hva kan jeg hjelpe deg med?
Do you have any pain? | Har du smerter?
Where does it hurt? | Hvor er det vondt?

I always have back pain. | Jeg har alltid vondt i ryggen.
I often have headaches. | Jeg har ofte hodepine.
I sometimes have stomach aches. | Jeg har av og til vondt i magen.

Remove your top! | Kan du ta av deg toppen / skjorta / genseren?
Lie down on the examining table. | Kan du legge deg på benken?
Your blood pressure is okay. | Blodtrykket er i orden.

I will give you an injection. | Jeg gir deg en sprøyte.
I will give you some pills. | Jeg gir deg tabletter.
I am giving you a prescription for the pharmacy. | Jeg gir deg en resept til apoteket.

Parts of the body

Kroppsdeler

I am drawing a man.
First the head.
The man is wearing a hat.

One cannot see the hair.
One cannot see the ears either.
One cannot see his back either.

I am drawing the eyes and the mouth.
The man is dancing and laughing.
The man has a long nose.

He is carrying a cane in his hands.
He is also wearing a scarf around his neck.
It is winter and it is cold.

The arms are athletic.
The legs are also athletic.
The man is made of snow.

He is neither wearing pants nor a coat.
But the man is not freezing.
He is a snowman.

Jeg tegner en mann.
Først hodet.
Mannen har på seg en hatt.

Man ser ikke håret.
Man ser ikke ørene heller.
Man ser ikke ryggen heller.

Jeg tegner øynene og munnen.
Mannen danser og ler.
Mannen har en lang nese.

Han har en stokk i hånden.
Han har dessuten et skjerf rundt halsen.
Det er vinter og det er kaldt.

Armene er kraftige.
Beina er også kraftige.
Mannen er laget av snø.

Han har ingen bukse på seg og ingen kåpe.
Men mannen fryser ikke.
Det er en snømann.

At the post office

På postkontoret

Where is the nearest post office?	Hvor er nærmeste postkontor?
Is the post office far from here?	Er det langt til nærmeste postkontor?
Where is the nearest mail box?	Hvor er nærmeste postkasse?
I need a couple of stamps.	Jeg trenger et par frimerker.
For a card and a letter.	Til et kort og et brev.
How much is the postage to America?	Hva koster portoen til Amerika?
How heavy is the package?	Hvor tung er pakken?
Can I send it by air mail?	Kan jeg sende den per luftpost?
How long will it take to get there?	Hvor lenge tar det til det kommer?
Where can I make a call?	Hvor kan jeg telefonere?
Where is the nearest telephone booth?	Hvor er nærmeste telefonkiosk?
Do you have calling cards?	Har du telefonkort?
Do you have a telephone directory?	Har du telefonkatalog?
Do you know the area code for Austria?	Vet du landskoden til Østerrike?
One moment, I'll look it up.	Et øyeblikk, jeg skal sjekke.
The line is always busy.	Linjen er alltid opptatt.
Which number did you dial?	Hvilket nummer har du ringt?
You have to dial a zero first!	Du må taste null først!

At the bank

I banken

I would like to open an account.	Jeg vil åpne en konto.
Here is my passport.	Her er passet mitt.
And here is my address.	Og her er adressen min.
I want to deposit money in my account.	Jeg ønsker å innbetale penger på kontoen min.
I want to withdraw money from my account.	Jeg ønsker å få utbetalt penger fra kontoen min.
I want to pick up the bank statements.	Jeg ønsker en kontoutskrift.
I want to cash a traveller's cheque / traveler's check (am.).	Jeg ønsker å innløse en reisesjekk.
What are the fees?	Hvor mye koster det i gebyr?
Where should I sign?	Hvor skal jeg skrive under?
I'm expecting a transfer from Germany.	Jeg venter en overføring fra Tyskland.
Here is my account number.	Her er kontonummeret mitt.
Has the money arrived?	Er pengene kommet frem?
I want to change money.	Jeg ønsker å veksle disse pengene.
I need US-Dollars.	Jeg trenger US-dollar.
Could you please give me small notes / bills (am.)?	Kan jeg få det i små sedler?
Is there a cashpoint / an ATM (am.)?	Finnes det minibank her?
How much money can one withdraw?	Hvor mye penger kan man få utbetalt?
Which credit cards can one use?	Hvilke kredittkort kan man bruke?

Ordinal numbers

Ordenstall

The first month is January.	Den første måneden er januar.
The second month is February.	Den andre måneden er februar.
The third month is March.	Den tredje måneden er mars.
The fourth month is April.	Den fjerde måneden er april.
The fifth month is May.	Den femte måneden er mai.
The sixth month is June.	Den sjette måneden er juni.
Six months make half a year.	Seks måneder er et halvt år.
January, February, March,	Januar, februar, mars,
April, May and June.	april, mai og juni.
The seventh month is July.	Den syvende måneden er juli.
The eighth month is August.	Den åttende måneden er august.
The ninth month is September.	Den niende måneden er september.
The tenth month is October.	Den tiende måneden er oktober.
The eleventh month is November.	Den ellevte måneden er november.
The twelfth month is December.	Den tolvte måneden er desember.
Twelve months make a year.	Tolv måneder er ett år.
July, August, September,	Juli, august, september,
October, November and December.	oktober, november og desember.

Asking questions 1

Stille spørsmål 1

to learn	lære
Do the students learn a lot?	Lærer elevene mye?
No, they learn a little.	Nei, de lærer lite.
to ask	spørre
Do you often ask the teacher questions?	Spør du ofte læreren?
No, I don't ask him questions often.	Nei, jeg spør ham ikke ofte.
to reply	svare
Please reply.	Vennligst svar.
I reply.	Jeg svarer.
to work	jobbe
Is he working right now?	Holder han på å jobbe?
Yes, he is working right now.	Ja, han holder på å jobbe.
to come	komme
Are you coming?	Kommer dere?
Yes, we are coming soon.	Ja, vi kommer snart.
to live	bo
Do you live in Berlin?	Bor du i Berlin?
Yes, I live in Berlin.	Ja, jeg bor i Berlin.

Asking questions 2

Stille spørsmål 2

I have a hobby.	Jeg har en hobby.
I play tennis.	Jeg spiller tennis.
Where is the tennis court?	Hvor finnes det en tennisbane?
Do you have a hobby?	Har du en hobby?
I play football / soccer (am.).	Jeg spiller fotball.
Where is the football / soccer (am.) field?	Hvor finnes det en fotballbane?
My arm hurts.	Armen min verker.
My foot and hand also hurt.	Foten og hånden min verker også.
Is there a doctor?	Hvor er det en lege?
I have a car / an automobile.	Jeg har en bil.
I also have a motorcycle.	Jeg har en motorsykkel også.
Where could I park?	Hvor er det en parkeringsplass?
I have a sweater.	Jeg har en genser.
I also have a jacket and a pair of jeans.	Jeg har også en jakke og en dongeribukse.
Where is the washing machine?	Hvor er vaskemaskinen?
I have a plate.	Jeg har en tallerken.
I have a knife, a fork and a spoon.	Jeg har en kniv, en gaffel og en skje.
Where is the salt and pepper?	Hvor er salt og pepper?

Negation 1

Nektelse 1

I don't understand the word.	Jeg forstår ikke det ordet.
I don't understand the sentence.	Jeg forstår ikke den setningen.
I don't understand the meaning.	Jeg forstår ikke betydningen.

the teacher

Do you understand the teacher?

Yes, I understand him well.

læreren

Forstår du læreren?

Ja, jeg forstår ham godt.

the teacher

Do you understand the teacher?

Yes, I understand her well.

lærerinnen

Forstår du lærerinnen?

Ja, jeg forstår henne godt.

the people

Do you understand the people?

No, I don't understand them so well.

folk

Forstår du de folkene? / Forstår du folk?

Nei, jeg forstår dem ikke så godt.

the girlfriend

Do you have a girlfriend?

Yes, I do.

venninen

Har du ei venninne / en kjæreste?

Ja, det har jeg.

the daughter

Do you have a daughter?

No, I don't.

dattera

Har du en datter?

Nei, det har jeg ikke.

yes
X no
maybe

Negation 2

Nektelse 2

Is the ring expensive?
No, it costs only one hundred Euros.
But I have only fifty.

Are you finished?
No, not yet.
But I'll be finished soon.

Do you want some more soup?
No, I don't want anymore.
But another ice cream.

Have you lived here long?
No, only for a month.
But I already know a lot of people.

Are you driving home tomorrow?
No, only on the weekend.
But I will be back on Sunday.

Is your daughter an adult?
No, she is only seventeen.
But she already has a boyfriend.

Er den ringen dyr?
Nei, den koster bare hundre euro.
Men jeg har bare femti.

Er du ferdig alt?
Nei, ikke enda.
Men jeg er snart ferdig.

Vil du ha mer suppe?
Nei takk, jeg vil ikke ha mer.
Men jeg vil ha mer is.

Har du bodd her lenge?
Nei, bare en måned.
Men jeg kjenner mange folk allerede.

Kjører du hjem i morgen?
Nei, ikke før i helga.
Men jeg kommer tilbake allerede på søndagen.

Er dattera di allerede voksen?
Nei, hun er bare sytten.
Men hun har allerede en kjæreste.

Possessive pronouns 1

Possessiver 1

I – my
I can't find my key.
I can't find my ticket.

jeg – min
Jeg finner ikke nøkkelen min.
Jeg finner ikke billetten min.

you – your
Have you found your key?
Have you found your ticket?

du – din
Har du funnet nøkkelen din?
Har du funnet billetten din?

he – his
Do you know where his key is?
Do you know where his ticket is?

han – hans
Vet du hvor nøkkelen hans er?
Vet du hvor billetten hans er?

she – her
Her money is gone.
And her credit card is also gone.

hun – hennes
Pengene hennes er borte.
Og kredittkortet hennes er også borte.

we – our
Our grandfather is ill.
Our grandmother is healthy.

vi – vår
Bestefaren vår er syk.
Men bestemoren vår er frisk.

you – your
Children, where is your father?
Children, where is your mother?

dere – deres
Hvor er pappaen deres?
Hvor er mammaen deres?

Possessive pronouns 2

Possessiver 2

the glasses
He has forgotten his glasses.
Where has he left his glasses?

brillene
Han har glemt brillene sine.
Hvor har han brillene sine da?

the clock
His clock isn't working.
The clock hangs on the wall.

klokka
Klokka hans er ødelagt.
Klokka henger på veggen.

the passport
He has lost his passport.
Where is his passport then?

passet
Han har mistet passet sitt.
Hvor har han passet sitt da?

they – their
The children cannot find their parents.
Here come their parents!

de – deres
Barna kan ikke finne foreldrene sine.
Men der er jo foreldrene deres!

you – your
How was your trip, Mr. Miller?
Where is your wife, Mr. Miller?

De / du – Deres / din
Hvordan var turen din?
Hvor er din kone?

you – your
How was your trip, Mrs. Smith?
Where is your husband, Mrs. Smith?

De / du – Deres / din
Hvordan var turen din?
Hvor er mannen din?

big – small

stor – liten

big and small
The elephant is big.
The mouse is small.

stor og liten
Elefanten er stor.
Musa er liten.

dark and bright
The night is dark.
The day is bright.

mørk og lys
Natten er mørk.
Dagen er lys.

old and young
Our grandfather is very old.
70 years ago he was still young.

gammel og ung
Bestefaren vår er veldig gammel.
For sytti år siden var han ung.

beautiful and ugly
The butterfly is beautiful.
The spider is ugly.

pen og stygg
Sommerfuglen er pen.
Edderkoppen er stygg.

fat and thin
A woman who weighs a hundred kilos is fat.
A man who weighs fifty kilos is thin.

tykk og tynn
En kvinne på hundre kilo er tykk.
En mann på femti kilo er tynn.

expensive and cheap
The car is expensive.
The newspaper is cheap.

dyr og billig
Bilen er dyr.
Avisen er billig.

to need – to
want to

trenge – ville

I need a bed.
I want to sleep.
Is there a bed here?

Jeg trenger en seng.
Jeg vil sove.
Finnes det en seng her?

I need a lamp.
I want to read.
Is there a lamp here?

Jeg trenger en lampe.
Jeg vil lese.
Finnes det en lampe her?

I need a telephone.
I want to make a call.
Is there a telephone here?

Jeg trenger en telefon.
Jeg vil ringe.
Finnes det en telefon her?

I need a camera.
I want to take photographs.
Is there a camera here?

Jeg trenger et kamera.
Jeg vil ta bilder.
Finnes det et kamera her?

I need a computer.
I want to send an email.
Is there a computer here?

Jeg trenger en datamaskin.
Jeg vil sende en epost.
Finnes det en datamaskin her?

I need a pen.
I want to write something.
Is there a sheet of paper and a pen here?

Jeg trenger en kulepenn.
Jeg vil skrive noe.
Finnes det et ark og en kulepenn her?

to like something

ville noe 1

Would you like to smoke?	Vil du røyke?
Would you like to dance?	Vil du danse?
Would you like to go for a walk?	Vil du gå en tur?
I would like to smoke.	Jeg vil gjerne røyke.
Would you like a cigarette?	Vil du ha en sigarett?
He wants a light.	Han vil ha fyr.
I want to drink something.	Jeg vil gjerne ha noe å drikke.
I want to eat something.	Jeg vil gjerne spise noe.
I want to relax a little.	Jeg vil gjerne hvile litt.
I want to ask you something.	Jeg vil gjerne spørre deg noe.
I want to ask you for something.	Jeg vil gjerne be deg om noe.
I want to treat you to something.	Jeg vil gjerne invitere deg på noe.
What would you like?	Hva vil du ha?
Would you like a coffee?	Vil du ha en kaffe?
Or do you prefer a tea?	Eller vil du heller ha en te?
We want to drive home.	Vi vil gjerne kjøre hjem.
Do you want a taxi?	Vil dere ha en drosje?
They want to make a call.	De vil gjerne ringe.

to want
something

ville noe 2

What do you want to do?	Hva vil dere?
Do you want to play football / soccer (am.)?	Vil dere spille fotball?
Do you want to visit friends?	Vil dere besøke venner?

to want	ville
I don't want to arrive late.	Jeg vil ikke komme for sent.
I don't want to go there.	Jeg vil ikke gå (dit).

I want to go home.	Jeg vil gå hjem.
I want to stay at home.	Jeg vil bli hjemme.
I want to be alone.	Jeg vil være alene.

Do you want to stay here?	Vil du bli her?
Do you want to eat here?	Vil du spise her?
Do you want to sleep here?	Vil du sove her?

Do you want to leave tomorrow?	Vil du kjøre i morgen?
Do you want to stay till tomorrow?	Vil du bli til i morgen?
Do you want to pay the bill only tomorrow?	Vil du betale regningen i morgen?

Do you want to go to the disco?	Vil dere på diskotek?
Do you want to go to the cinema?	Vil dere på kino?
Do you want to go to a café?	Vil dere på kafé?

to have to do something / must

måtte noe

must	måtte
I must post the letter.	Jeg må sende brevet.
I must pay the hotel.	Jeg må betale hotellet.
You must get up early.	Du må stå opp tidlig.
You must work a lot.	Du må jobbe mye.
You must be punctual.	Du må komme i tide.
He must fuel / get petrol / get gas (am.).	Han må fylle bensin.
He must repair the car.	Han må reparere bilen.
He must wash the car.	Han må vaske bilen.
She must shop.	Hun må handle.
She must clean the apartment.	Hun må vaske leiligheten.
She must wash the clothes.	Hun må vaske tøy.
We must go to school at once.	Vi må snart gå på skolen.
We must go to work at once.	Vi må snart gå på jobb.
We must go to the doctor at once.	Vi må snart gå til legen.
You must wait for the bus.	Dere må vente på bussen.
You must wait for the train.	Dere må vente på toget.
You must wait for the taxi.	Dere må vente på drosjen.

to be allowed to

ha lov til noe /
kunne noe

Are you already allowed to drive? | Har du lov til å kjøre bil?
Are you already allowed to drink alcohol? | Har du lov til å drikke alkohol?
Are you already allowed to travel abroad alone? | Har du lov til å reise alene til utlandet?

may / to be allowed | ha / få lov, kunne
May we smoke here? | Kan vi røyke her?
Is smoking allowed here? | Er det lov å røyke her?

May one pay by credit card? | Kan man betale med kredittkort?
May one pay by cheque / check (am.)? | Kan man betale med sjekk?
May one only pay in cash? | Kan man bare betale kontant?

May I just make a call? | Får jeg lov til å ringe noen?
May I just ask something? | Får jeg lov til å spørre noe?
May I just say something? | Får jeg lov til å si noe?

He is not allowed to sleep in the park. | Han har ikke lov til å sove i parken.
He is not allowed to sleep in the car. | Han har ikke lov til å sove i bilen.
He is not allowed to sleep at the train station. | Han har ikke lov til å sove på togstasjonen.

May we take a seat? | Får vi lov til å sette oss?
May we have the menu? | Kan vi få menyen?
May we pay separately? | Kan vi betale hver for oss?

asking for
something

be om noe

Can you cut my hair?	Kan du klippe håret mitt?
Not too short, please.	Vennligst ikke for kort.
A bit shorter, please.	Litt kortere, takk.
Can you develop the pictures?	Kan du fremkalle disse bildene?
The pictures are on the CD.	Bildene er på CDen.
The pictures are in the camera.	Bildene er i kameraet.
Can you fix the clock?	Kan du reparere denne klokka?
The glass is broken.	Glasset er knust.
The battery is dead / empty.	Batteriet er tomt.
Can you iron the shirt?	Kan du stryke skjorta?
Can you clean the pants / trousers?	Kan du rense buksa?
Can you fix the shoes?	Kan du reparere skoene?
Do you have a light?	Kan du gi meg fyr?
Do you have a match or a lighter?	Har du fyrstikker eller en lighter?
Do you have an ashtray?	Har du et askebeger?
Do you smoke cigars?	Røyker du sigarer?
Do you smoke cigarettes?	Røyker du sigaretter?
Do you smoke a pipe?	Røyker du pipe?

giving reasons 1

begrunne noe 1

Why aren't you coming?
The weather is so bad.
I am not coming because the weather is so bad.

Hvorfor kommer du ikke?
Været er så dårlig.
Jeg kommer ikke fordi været er så dårlig.

Why isn't he coming?
He isn't invited.
He isn't coming because he isn't invited.

Hvorfor kommer han ikke?
Han er ikke invitert.
Han kommer ikke fordi han ikke er invitert.

Why aren't you coming?
I have no time.
I am not coming because I have no time.

Hvorfor kommer du ikke?
Jeg har ikke tid.
Jeg kommer ikke fordi jeg ikke har tid.

Why don't you stay?
I still have to work.
I am not staying because I still have to work.

Hvorfor blir du ikke?
Jeg må jobbe.
Jeg kan ikke bli, fordi jeg må jobbe.

Why are you going already?
I am tired.
I'm going because I'm tired.

Hvorfor går du allerede nå?
Jeg er trett.
Jeg går fordi jeg er trett.

Why are you going already?
It is already late.
I'm going because it is already late.

Hvorfor kjører du allerede nå?
Det er sent.
Jeg kjører fordi det er sent.

giving reasons 2

begrunne noe 2

Why didn't you come?	Hvorfor kom du ikke?
I was ill.	Jeg var syk.
I didn't come because I was ill.	Jeg kom ikke fordi jeg var syk.
Why didn't she come?	Hvorfor kom hun ikke?
She was tired.	Hun var trett.
She didn't come because she was tired.	Hun kom ikke fordi hun var trett.
Why didn't he come?	Hvorfor kom han ikke?
He wasn't interested.	Han hadde ikke lyst.
He didn't come because he wasn't interested.	Han kom ikke fordi han ikke hadde lyst.
Why didn't you come?	Hvorfor kom dere ikke?
Our car is damaged.	Bilen vår er ødelagt.
We didn't come because our car is damaged.	Vi kom ikke fordi bilen vår er ødelagt.
Why didn't the people come?	Hvorfor kom de ikke?
They missed the train.	De rakk ikke toget.
They didn't come because they missed the train.	De kom ikke fordi de ikke rakk toget.
Why didn't you come?	Hvorfor kom du ikke?
I was not allowed to.	Jeg fikk ikke lov.
I didn't come because I was not allowed to.	Jeg kom ikke fordi jeg ikke fikk lov.

giving reasons 3

begrunne noe 3

Why aren't you eating the cake?	Hvorfor spiser du ikke bløtkaka?
I must lose weight.	Jeg må slanke meg.
I'm not eating it because I must lose weight.	Jeg spiser den ikke fordi jeg må slanke meg.
Why aren't you drinking the beer?	Hvorfor drikker du ikke øl?
I have to drive.	Jeg må kjøre.
I'm not drinking it because I have to drive.	Jeg drikker (det) ikke fordi jeg må kjøre.
Why aren't you drinking the coffee?	Hvorfor drikker du ikke kaffen?
It is cold.	Den er kald.
I'm not drinking it because it is cold.	Jeg drikker den ikke fordi den er kald.
Why aren't you drinking the tea?	Hvorfor drikker du ikke teen?
I have no sugar.	Jeg har ikke sukker.
I'm not drinking it because I don't have any sugar.	Jeg drikker den ikke fordi jeg ikke har sukker.
Why aren't you eating the soup?	Hvorfor spiser du ikke suppen?
I didn't order it.	Jeg har ikke bestilt den.
I'm not eating it because I didn't order it.	Jeg spiser den ikke fordi jeg ikke har bestilt den.
Why don't you eat the meat?	Hvorfor spiser du ikke kjøttet?
I am a vegetarian.	Jeg er vegetarianer.
I'm not eating it because I am a vegetarian.	Jeg spiser det ikke fordi jeg er vegetarianer.

Adjectives 1

Adjektiv 1

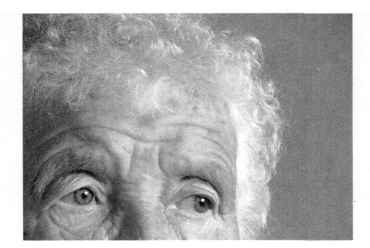

an old lady	en gammel kvinne / dame
a fat lady	en tykk kvinne / dame
a curious lady	en nysgjerrig kvinne / dame
a new car	en ny bil
a fast car	en rask bil
a comfortable car	en komfortabel bil
a blue dress	en blå kjole
a red dress	en rød kjole
a green dress	en grønn kjole
a black bag	en svart veske
a brown bag	en brun veske
a white bag	en hvit veske
nice people	hyggelige folk
polite people	høflige folk
interesting people	interessante folk
loving children	snille barn
cheeky children	frekke barn
well behaved children	lydige barn

Adjectives 2

Adjektiv 2

I am wearing a blue dress.	Jeg har en blå kjole på meg.
I am wearing a red dress.	Jeg har en rød kjole på meg.
I am wearing a green dress.	Jeg har en grønn kjole på meg.
I'm buying a black bag.	Jeg kjøper en svart veske.
I'm buying a brown bag.	Jeg kjøper en brun veske.
I'm buying a white bag.	Jeg kjøper en hvit veske.
I need a new car.	Jeg trenger en ny bil.
I need a fast car.	Jeg trenger en rask bil.
I need a comfortable car.	Jeg trenger en komfortabel bil.
An old lady lives at the top.	Der oppe bor det en gammel dame.
A fat lady lives at the top.	Der oppe bor det en tjukk dame.
A curious lady lives below.	Der nede bor det en nysgjerrig dame.
Our guests were nice people.	Gjestene våre var hyggelige folk.
Our guests were polite people.	Gjestene våre var høflige folk.
Our guests were interesting people.	Gjestene våre var interessante folk.
I have lovely children.	Jeg har snille barn.
But the neighbours have naughty children.	Men naboene har frekke barn.
Are your children well behaved?	Er barna dine lydige?

Adjectives 3   Adjektiv 3

She has a dog.	Hun har en hund.
The dog is big.	Hunden er stor.
She has a big dog.	Hun har en stor hund.
She has a house.	Hun har et hus.
The house is small.	Huset er lite.
She has a small house.	Hun har et lite hus.
He is staying in a hotel.	Han bor på hotell.
The hotel is cheap.	Hotellet er billig.
He is staying in a cheap hotel.	Han bor på et billig hotell.
He has a car.	Han har bil.
The car is expensive.	Bilen er dyr.
He has an expensive car.	Han har en dyr bil.
He reads a novel.	Han leser en roman.
The novel is boring.	Romanen er kjedelig.
He is reading a boring novel.	Han leser en kjedelig roman.
She is watching a movie.	Hun ser på en film.
The movie is exciting.	Filmen er spennende.
She is watching an exciting movie.	Hun ser på en spennende film.

Past tense 1

Fortid 1

to write
He wrote a letter.
And she wrote a card.

skrive
Han skrev et brev.
Og hun skrev et kort.

to read
He read a magazine.
And she read a book.

lese
Jeg leste et magasin.
Og hun leste ei bok.

to take
He took a cigarette.
She took a piece of chocolate.

ta
Han tok en sigarett.
Hun tok et stykke sjokolade.

He was disloyal, but she was loyal.
He was lazy, but she was hard-working.
He was poor, but she was rich.

Han var utro, men hun var trofast.
Han var lat, men hun var flittig.
Han var fattig, men hun var rik.

He had no money, only debts.
He had no luck, only bad luck.
He had no success, only failure.

Han hadde ingen penger, men gjeld.
Han hadde ikke flaks, men uflaks.
Han lyktes ikke, men han mislyktes.

He was not satisfied, but dissatisfied.
He was not happy, but sad.
He was not friendly, but unfriendly.

Han var ikke fornøyd, men misfornøyd.
Han var ikke lykkelig, men ulykkelig.
Han var ikke sympatisk, men usympatisk.

Past tense 2

Fortid 2

Did you have to call an ambulance?	Måtte du ringe ambulansen?
Did you have to call the doctor?	Måtte du ringe legen?
Did you have to call the police?	Måtte du ringe politiet?
Do you have the telephone number? I had it just now.	Har du nummeret? Jeg hadde det i sted.
Do you have the address? I had it just now.	Har du adressen? Jeg hadde den i sted.
Do you have the city map? I had it just now.	Har du bykartet? Jeg hadde det i sted.
Did he come on time? He could not come on time.	Kom han i tide? Han klarte ikke å komme i tide.
Did he find the way? He could not find the way.	Fant han veien? Han fant ikke veien.
Did he understand you? He could not understand me.	Forstod han deg? Han kunne ikke forstå meg.
Why could you not come on time?	Hvorfor kunne du ikke komme i tide?
Why could you not find the way?	Hvorfor fant du ikke veien?
Why could you not understand him?	Hvorfor forstod du ham ikke?
I could not come on time because there were no buses.	Jeg kom ikke i tide fordi det gikk ikke buss.
I could not find the way because I had no city map.	Jeg fant ikke veien fordi jeg ikke hadde kart.
I could not understand him because the music was so loud.	Jeg kunne ikke forstå ham fordi musikken var så høy.
I had to take a taxi.	Jeg måtte ta en drosje.
I had to buy a city map.	Jeg måtte kjøpe et (by)kart.
I had to switch off the radio.	Jeg måtte slå av radioen.

Past tense 3

Fortid 3

to make a call	ringe
I made a call.	Jeg har ringt.
I was talking on the phone all the time.	Jeg har ringt hele tiden.
to ask	spørre
I asked.	Jeg har spurt.
I always asked.	Jeg har alltid spurt.
to narrate	fortelle
I narrated.	Jeg har fortalt det.
I narrated the whole story.	Jeg har fortalt hele historien.
to study	lære / lese
I studied.	Jeg har lært / lest.
I studied the whole evening.	Jeg har lært / lest hele kvelden.
to work	jobbe
I worked.	Jeg har jobbet.
I worked all day long.	Jeg har jobbet hele dagen.
to eat	spise
I ate.	Jeg har spist.
I ate all the food.	Jeg har spist opp.

Past tense 4

Fortid 4

to read	lese
I read.	Jeg har lest.
I read the whole novel.	Jeg har lest hele romanen.
to understand	forstå
I understood.	Jeg har forstått.
I understood the whole text.	Jeg har forstått hele teksten.
to answer	svare
I answered.	Jeg har svart.
I answered all the questions.	Jeg har svart på alle spørsmålene.
I know that – I knew that.	Jeg vet det – jeg har visst det.
I write that – I wrote that.	Jeg skriver det – jeg har skrevet det.
I hear that – I heard that.	Jeg hører det – jeg har hørt det.
I'll get it – I got it.	Jeg henter det – jeg har hentet det.
I'll bring that – I brought that.	Jeg bringer det – jeg har brakt det.
I'll buy that – I bought that.	Jeg kjøper det – jeg har kjøpt det.
I expect that – I expected that.	Jeg forventer det – jeg har forventet det.
I'll explain that – I explained that.	Jeg forklarer det – jeg har forklart det.
I know that – I knew that.	Jeg kjenner det – jeg har kjent det.

Questions – Past tense 1

Spørsmål – fortid 1

How much did you drink?	Hvor mye har du drukket?
How much did you work?	Hvor mye har du jobbet?
How much did you write?	Hvor mye har du skrevet?
How did you sleep?	Hvordan har du sovet?
How did you pass the exam?	Hvordan har du bestått prøven?
How did you find the way?	Hvordan har du funnet veien?
Who did you speak to?	Hvem har du snakket med?
With whom did you make an appointment?	Hvem har du gjort avtale med?
With whom did you celebrate your birthday?	Hvem har du feiret bursdag med?
Where were you?	Hvor har du vært?
Where did you live?	Hvor har du bodd?
Where did you work?	Hvor har du jobbet?
What did you suggest?	Hva har du anbefalt?
What did you eat?	Hva har du spist?
What did you come to know?	Hva har du fått vite?
How fast did you drive?	Hvor fort har du kjørt?
How long did you fly?	Hvor lenge har du fløyet?
How high did you jump?	Hvor høyt har du hoppet?

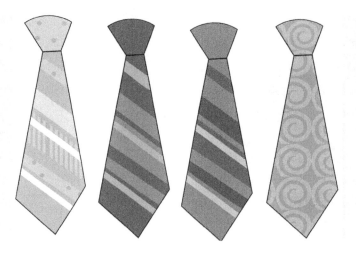

Questions – Past tense 2

Spørsmål – fortid 2

Which tie did you wear?	Hvilket slips har du brukt?
Which car did you buy?	Hvilken bil har du kjøpt?
Which newspaper did you subscribe to?	Hvilken avis har du abonnert på?
Who did you see?	Hvem har du sett?
Who did you meet?	Hvem har du truffet?
Who did you recognize?	Hvem har du kjent igjen?
When did you get up?	Når stod du opp?
When did you start?	Når begynte du?
When did you finish?	Når sluttet du?
Why did you wake up?	Hvorfor har du våknet?
Why did you become a teacher?	Hvorfor har du blitt lærer?
Why did you take a taxi?	Hvorfor har du tatt drosje?
Where did you come from?	Hvor har du kommet fra?
Where did you go?	Hvor har du gått hen?
Where were you?	Hvor har du vært?
Who did you help?	Hvem har du hjulpet?
Who did you write to?	Til hvem har du skrevet?
Who did you reply to?	Hvem har du svart?

Past tense of
modal verbs 1

Fortid av
modalverb 1

We had to water the flowers.	Vi måtte vanne blomstene.
We had to clean the apartment.	Vi måtte rydde i leiligheten.
We had to wash the dishes.	Vi måtte ta oppvasken.
Did you have to pay the bill?	Måtte dere betale regningen?
Did you have to pay an entrance fee?	Måtte dere betale inngangspenger?
Did you have to pay a fine?	Måtte dere betale en bot?
Who had to say goodbye?	Hvem måtte ta avskjed?
Who had to go home early?	Hvem måtte gå hjem tidlig?
Who had to take the train?	Hvem måtte ta toget?
We did not want to stay long.	Vi ville ikke bli lenge.
We did not want to drink anything.	Vi ville ikke drikke noe.
We did not want to disturb you.	Vi ville ikke forstyrre.
I just wanted to make a call.	Jeg ville akkurat ringe.
I just wanted to call a taxi.	Jeg ville bestille drosje.
Actually I wanted to drive home.	Jeg ville nemlig kjøre hjem.
I thought you wanted to call your wife.	Jeg trodde du ville ringe kona di.
I thought you wanted to call information.	Jeg trodde du ville ringe opplysningen.
I thought you wanted to order a pizza.	Jeg trodde du ville bestille en pizza.

Past tense of modal verbs 2

Fortid av modalverb 2

My son did not want to play with the doll.	Sønnen min ville ikke leke med dukka.
My daughter did not want to play football / soccer (am.).	Dattera mi ville ikke spille fotball.
My wife did not want to play chess with me.	Kona mi ville ikke spille sjakk med meg.
My children did not want to go for a walk.	Barna mine ville ikke gå tur.
They did not want to tidy the room.	De ville ikke rydde på rommet sitt.
They did not want to go to bed.	De ville ikke legge seg.
He was not allowed to eat ice cream.	Han fikk ikke lov til å spise is.
He was not allowed to eat chocolate.	Han fikk ikke lov til å spise sjokolade.
He was not allowed to eat sweets.	Han fikk ikke lov til å spise drops.
I was allowed to make a wish.	Jeg fikk lov til å ønske meg noe.
I was allowed to buy myself a dress.	Jeg fikk lov til å kjøpe meg en kjole.
I was allowed to take a chocolate.	Jeg fikk lov til å ta en sjokolade.
Were you allowed to smoke in the airplane?	Fikk du røyke på flyet?
Were you allowed to drink beer in the hospital?	Fikk du drikke øl på sykehuset?
Were you allowed to take the dog into the hotel?	Fikk du ta med hunden på hotellet?
During the holidays the children were allowed to remain outside late.	I ferien fikk barna lov til å være ute lenge.
They were allowed to play in the yard for a long time.	De fikk leke i hagen / på tunet lenge.
They were allowed to stay up late.	De fikk være oppe lenge.

Imperative 1

Imperativ 1

You are so lazy – don't be so lazy!	Du er lat – du burde ta deg sammen.
You sleep for so long – don't sleep so late!	Du sover for lenge – du må lære deg å stå opp om morgenen.
You come home so late – don't come home so late!	Du kommer så sent – du må slutte å komme for sent.
You laugh so loudly – don't laugh so loudly!	Du ler alltid så høyt – det synes jeg du skulle moderere.
You speak so softly – don't speak so softly!	Du snakker så lavt – snakk høyere!
You drink too much – don't drink so much!	Du drikker for mye – drikk mindre da!
You smoke too much – don't smoke so much!	Du røyker for mye – ikke røyk så mye da!
You work too much – don't work so much!	Du jobber for mye – ikke jobb så mye da!
You drive too fast – don't drive so fast!	Du kjører for fort – ikke kjør så fort da!
Get up, Mr. Miller!	Stå opp, Müller.
Sit down, Mr. Miller!	Sett deg, Müller.
Remain seated, Mr. Miller!	Bli sittende, Müller.
Be patient!	Vær tålmodig.
Take your time!	Ta deg tid.
Wait a moment!	Vent et øyeblikk.
Be careful!	Vær forsiktig.
Be punctual!	Vær punktlig.
Don't be stupid!	Ikke vær dum!

Imperative 2

Imperativ 2

Shave!	Nå skal du barbere deg.
Wash yourself!	Nå skal du vaske deg.
Comb your hair!	Nå skal du gre deg.
Call!	Ring!
Begin!	Begynn! / Sett i gang!
Stop!	Slutt!
Leave it!	La være!
Say it!	Si det!
Buy it!	Kjøp det!
Never be dishonest!	Vær aldri uærlig!
Never be naughty!	Vær aldri frekk!
Never be impolite!	Vær aldri uhøflig!
Always be honest!	Vær alltid ærlig!
Always be nice!	Vær alltid hyggelig!
Always be polite!	Vær alltid høflig!
Hope you arrive home safely!	Kom godt hjem!
Take care of yourself!	Pass på deg selv! / Ta vare på deg selv!
Do visit us again soon!	Besøk oss igjen snart.

Subordinate clauses: that 1

Bisetninger med at 1

Perhaps the weather will get better tomorrow.	Kanskje det blir bedre vær i morgen.
How do you know that?	Hvordan vet du det?
I hope that it gets better.	Jeg håper at det blir bedre.
He will definitely come.	Han kommer helt sikkert.
Are you sure?	Er det sikkert?
I know that he'll come.	Jeg vet at han kommer.
He'll definitely call.	Han ringer sikkert.
Really?	Virkelig?
I believe that he'll call.	Jeg tror (at) han ringer.
The wine is definitely old.	Vinen er sikkert gammel.
Do you know that for sure?	Vet du det med sikkerhet?
I think that it is old.	Jeg antar at den er gammel.
Our boss is good-looking.	Sjefen vår ser flott ut.
Do you think so?	Synes du?
I find him very handsome.	Jeg synes at han ser veldig flott ut.
The boss definitely has a girlfriend.	Sjefen har sikkert en kjæreste.
Do you really think so?	Tror du det?
It is very possible that he has a girlfriend.	Det er godt mulig at han har en kjæreste.

Subordinate clauses: that 2

Bisetninger med at 2

I'm angry that you snore.	Det irriterer meg at du snorker.
I'm angry that you drink so much beer.	Det irriterer meg at du drikker så mye øl.
I'm angry that you come so late.	Det irriterer meg at du kommer så sent.
I think he needs a doctor.	Jeg tror (at) han trenger en lege.
I think he is ill.	Jeg tror (at) han er syk.
I think he is sleeping now.	Jeg tror (at) han sover nå.
We hope that he marries our daughter.	Vi håper (at) han vil gifte seg med dattera vår.
We hope that he has a lot of money.	Vi håper (at) han har mye penger.
We hope that he is a millionaire.	Vi håper (at) han er millionær.
I heard that your wife had an accident.	Jeg har hørt at kona di hadde en ulykke.
I heard that she is in the hospital.	Jeg har hørt at hun ligger på sykehuset.
I heard that your car is completely wrecked.	Jeg har hørt at bilen din er totalt ødelagt.
I'm happy that you came.	Jeg er glad for at du kom.
I'm happy that you are interested.	Det gleder meg at du er interessert.
I'm happy that you want to buy the house.	Det gleder meg at du vil kjøpe huset.
I'm afraid the last bus has already gone.	Jeg er redd for at den siste bussen har gått.
I'm afraid we will have to take a taxi.	Jeg er redd for at vi må ta en drosje.
I'm afraid I have no more money.	Jeg er redd for at jeg ikke har penger med meg.

Subordinate clauses: if

Bisetninger med om

I don't know if he loves me.	Jeg vet ikke om han elsker meg.
I don't know if he'll come back.	Jeg vet ikke om han kommer tilbake.
I don't know if he'll call me.	Jeg vet ikke om han vil ringe meg.
Maybe he doesn't love me?	Om han elsker meg?
Maybe he won't come back?	Om han kommer tilbake?
Maybe he won't call me?	Om han vil ringe meg?
I wonder if he thinks about me.	Jeg lurer på om han tenker på meg.
I wonder if he has someone else.	Jeg lurer på om han har ei annen.
I wonder if he lies.	Jeg lurer på om han lyver.
Maybe he thinks of me?	Om han tenker på meg?
Maybe he has someone else?	Om han har en annen?
Maybe he tells me the truth?	Om han snakker sant?
I doubt whether he really likes me.	Jeg er i tvil på om han virkelig liker meg.
I doubt whether he'll write to me.	Jeg er i tvil på om han vil skrive til meg.
I doubt whether he'll marry me.	Jeg er i tvil på om han vil gifte seg med meg.
Does he really like me?	Om han virkelig liker meg?
Will he write to me?	Om han vil skrive til meg?
Will he marry me?	Om han vil gifte seg med meg?

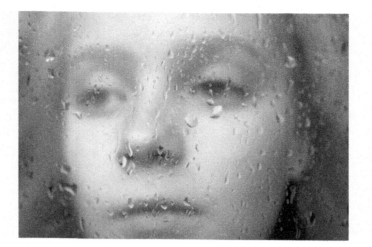

Conjunctions 1

Konjunksjoner 1

Wait until the rain stops.	Vent til det har sluttet å regne.
Wait until I'm finished.	Vent til jeg er ferdig.
Wait until he comes back.	Vent til han kommer tilbake.
I'll wait until my hair is dry.	Jeg venter til håret mitt er tørt.
I'll wait until the film is over.	Jeg venter til filmen er over.
I'll wait until the traffic light is green.	Jeg venter til lyset er grønt.
When do you go on holiday?	Når reiser du på ferie?
Before the summer holidays?	Før sommerferien?
Yes, before the summer holidays begin.	Ja, før sommerferien begynner.
Repair the roof before the winter begins.	Fiks taket før vinteren kommer.
Wash your hands before you sit at the table.	Vask hendene før du setter deg ved bordet.
Close the window before you go out.	Lukk vinduet før du går ut.
When will you come home?	Når kommer du hjem?
After class?	Etter undervisningen?
Yes, after the class is over.	Ja, etter at undervisningen er over.
After he had an accident, he could not work anymore.	Etter at han hadde hatt en ulykke kunne han ikke jobbe lenger.
After he had lost his job, he went to America.	Etter at han hadde mistet jobben dro han til Amerika.
After he went to America, he became rich.	Etter at han hadde dratt til Amerika ble han rik.

Conjunctions 2

Since when is she no longer working?	Når sluttet hun å jobbe?
Since her marriage?	Siden hun ble gift?
Yes, she is no longer working since she got married.	Ja, hun har ikke jobbet siden hun ble gift.
Since she got married, she's no longer working.	Siden hun ble gift jobber hun ikke lenger.
Since they have met each other, they are happy.	Siden de kjenner hverandre er de lykkelige.
Since they have had children, they rarely go out.	Siden de har barn går de sjelden ut.
When does she call?	Når telefonerer hun?
When driving?	Mens hun kjører?
Yes, when she is driving.	Ja, mens hun kjører bil.
She calls while she drives.	Hun telefonerer mens hun kjører bil.
She watches TV while she irons.	Hun ser på TV mens hun stryker tøy.
She listens to music while she does her work.	Hun hører på musikk mens hun gjør oppgavene sine.
I can't see anything when I don't have glasses.	Jeg ser ingenting når jeg ikke har på meg briller.
I can't understand anything when the music is so loud.	Jeg forstår ingenting når musikken er så høy.
I can't smell anything when I have a cold.	Jeg lukter ingenting når jeg er forkjølet.
We'll take a taxi if it rains.	Vi tar en drosje hvis det regner.
We'll travel around the world if we win the lottery.	Vi reiser jorden rundt hvis vi vinner i lotto.
We'll start eating if he doesn't come soon.	Vi begynner å spise hvis han ikke kommer snart.

Conjunctions 3

Konjunksjoner 3

I get up as soon as the alarm rings.	Jeg står opp så snart vekkerklokka ringer.
I become tired as soon as I have to study.	Jeg blir trett så snart jeg skal lære.
I will stop working as soon as I am 60.	Jeg slutter å jobbe når jeg blir seksti.
When will you call?	Når ringer du?
As soon as I have a moment.	Så snart jeg har tid.
He'll call, as soon as he has a little time.	Han ringer så snart han har tid.
How long will you work?	Hvor lenge skal du jobbe?
I'll work as long as I can.	Jeg skal jobbe så lenge jeg kan.
I'll work as long as I am healthy.	Jeg skal jobbe så lenge jeg er frisk.
He lies in bed instead of working.	Han ligger i senga i stedet for å jobbe.
She reads the newspaper instead of cooking.	Hun leser avisen i stedet for å lage mat.
He is at the bar instead of going home.	Han sitter på puben i stedet for å gå hjem.
As far as I know, he lives here.	Så vidt jeg vet bor han her.
As far as I know, his wife is ill.	Så vidt jeg vet er kona hans syk.
As far as I know, he is unemployed.	Så vidt jeg vet er han arbeidsledig.
I overslept; otherwise I'd have been on time.	Jeg hadde kommet tidsnok dersom jeg ikke hadde forsovet meg.
I missed the bus; otherwise I'd have been on time.	Jeg hadde kommet tidsnok hvis jeg ikke hadde mistet bussen.
I didn't find the way / I got lost; otherwise I'd have been on time.	Jeg kom ikke i tide fordi jeg ikke fant veien.

Conjunctions 4

Konjunksjoner 4

He fell asleep although the TV was on.	Han sovnet, selv om TVen sto på.
He stayed a while although it was late.	Han ble, selv om det var sent.
He didn't come although we had made an appointment.	Han kom ikke, selv om vi hadde avtale.
The TV was on. Nevertheless, he fell asleep.	TVen sto på, men likevel sovnet han.
It was already late. Nevertheless, he stayed a while.	Det var sent, men likevel ble han.
We had made an appointment. Nevertheless, he didn't come.	Vi hadde en avtale. Likevel kom han ikke.
Although he has no license, he drives the car.	Han kjører bil selv om han ikke har førerkort.
Although the road is slippery, he drives so fast.	Selv om veien er glatt kjører han fort.
Although he is drunk, he rides his bicycle.	Han sykler selv om han er full.
Despite having no licence / license (am.), he drives the car.	Han har ikke førerkort. Likevel kjører han bil.
Despite the road being slippery, he drives fast.	Veien er glatt. Likevel kjører han så fort.
Despite being drunk, he rides the bike.	Han er full. Likevel sykler han.
Although she went to college, she can't find a job.	Hun finner ingen stilling selv om hun har studert.
Although she is in pain, she doesn't go to the doctor.	Hun går ikke til legen selv om hun har smerter.
Although she has no money, she buys a car.	Hun kjøper bil selv om hun ikke har penger.
She went to college. Nevertheless, she can't find a job.	Hun har studert. Likevel finner hun ingen stilling.
She is in pain. Nevertheless, she doesn't go to the doctor.	Hun har smerter. Likevel går hun ikke til legen.
She has no money. Nevertheless, she buys a car.	Hun har ingen penger. Likevel kjøper hun bil.

Double connectors

Doble konjunksjoner

The journey was beautiful, but too tiring.	Reisen var fin, men den var for anstrengende.
The train was on time, but too full.	Toget var punktlig, men det var for fullt.
The hotel was comfortable, but too expensive.	Hotellet var koselig, men det var for dyrt.
He'll take either the bus or the train.	Han tar enten bussen eller toget.
He'll come either this evening or tomorrow morning.	Han kommer enten i kveld eller i morgen tidlig.
He's going to stay either with us or in the hotel.	Han bor enten hos oss eller på hotellet.
She speaks Spanish as well as English.	Hun snakker både spansk og engelsk.
She has lived in Madrid as well as in London.	Hun har bodd i både Madrid og London.
She knows Spain as well as England.	Hun kjenner både Spania og England.
He is not only stupid, but also lazy.	Han er ikke bare dum, men også lat.
She is not only pretty, but also intelligent.	Hun er ikke bare pen, men også intelligent.
She speaks not only German, but also French.	Hun snakker ikke bare tysk, men også fransk.
I can neither play the piano nor the guitar.	Jeg spiller verken piano eller gitar.
I can neither waltz nor do the samba.	Jeg danser verken vals eller samba.
I like neither opera nor ballet.	Jeg liker verken opera eller ballett.
The faster you work, the earlier you will be finished.	Jo fortere du jobber, desto fortere blir du ferdig.
The earlier you come, the earlier you can go.	Jo tidligere du kommer, desto tidligere kan du gå.
The older one gets, the more complacent one gets.	Jo eldre man blir, desto tryggere blir man.

Genitive

Genitiv

my girlfriend's cat	min vennines katt / katten til vennina mi
my boyfriend's dog	min venns hund / hunden til vennen min
my children's toys	mine barns leketøy / leketøyet til barna mine
This is my colleague's overcoat.	Det er kåpen til kollegaen min.
That is my colleague's car.	Det er bilen til kollegaen min.
That is my colleagues' work.	Det er min kollegas jobb. / Det er jobben til kollegaen min.
The button from the shirt is gone.	Knappen i skjorta er borte.
The garage key is gone.	Nøkkelen til garasjen er borte.
The boss' computer is not working.	Datamaskinen til sjefen er ødelagt.
Who are the girl's parents?	Hvor er foreldrene til jenta? / Hvor er jentas foreldre?
How do I get to her parents' house?	Hvordan kommer jeg til hennes foreldres hus?
The house is at the end of the road.	Huset er i enden av gata.
What is the name of the capital city of Switzerland?	Hva heter hovedstaden i Sveits?
What is the title of the book?	Hva er bokens tittel?
What are the names of the neighbour's / neighbor's (am.) children?	Hva heter naboenes barn? / Hva heter barna til naboene?
When are the children's holidays?	Når er barnas skoleferie? / Når er skoleferien til barna?
What are the doctor's consultation times?	Hva er legens kontortid? / Hva er kontortida til legen?
What time is the museum open?	Hva er åpningstidene til museet? / Hva er museets åpningstider?

Adverbs

Adverb

already – not yet
Have you already been to Berlin?
No, not yet.

noen gang – aldri
Har du noen gang vært i Berlin?
Nei, aldri.

someone – no one
Do you know someone here?
No, I don't know anyone here.

noen – ingen
Kjenner du noen her?
Nei, jeg kjenner ingen her.

a little longer – not much longer
Will you stay here a little longer?
No, I won't stay here much longer.

ennå – ikke lenger
Skal du være her ennå en stund?
Nei, jeg skal ikke være her lenger.

something else – nothing else
Would you like to drink something else?
No, I don't want anything else.

litt til – ikke noe mer
Vil du ha litt til?
Nei takk, jeg vil ikke ha mer.

something already – nothing yet
Have you already eaten something?
No, I haven't eaten anything yet.

allerede noe – ikke noe ennå
Har du allerede spist noe?
Nei, jeg har ikke spist noe ennå.

someone else – no one else
Does anyone else want a coffee?
No, no one else.

flere – ingen (flere)
Er det flere som vil ha kaffe?
Nei, ingen (flere).

Made in the USA
Middletown, DE
29 April 2022

65003864R00060